일본,
엄청나게
가깝지만
의외로 낯선

일본,
엄청나게
가깝지만
의외로 낯선

음식을 통해 본 일본 문화와 사유의 인문학

후쿠안 지음 | 박지민 옮김

애플북스

추천사

이 책에서 소개하는 일본 음식은 내게 너무나 익숙한 일상의 음식들이다. 그런데도 이 책을 정말 흥미진진하게 읽었고, 저자가 소개한 식당에 가보고 싶다는 생각이 들었다.

- 모노 미야茂呂 美耶, 작가

맛에는 역사가 있고, 역사에는 맛이 있다. 혀끝으로 일본의 세월을 이해하는 책이다.

- 홍쩐위洪震宇, 작가

내가 너무나 잘 아는 일본 음식에 대해 썼는데, 모르는 이야기가 무척 많았다. 일본 음식의 깊고 넓은 정신 영역까지 말해주고 있다.

- 메이춘웨梅村月, 작가, 일본 요리연구가

정말 재미있는 음식에 관한 이야기를 담고 있다. 책에 소개한 음식들에 대해 잘 알고 있다고 생각해서 크게 기대하지 않았는데 재미는 물론 새로운 지식도 많이 얻게 되었다. 무엇보다 가벼운 태도로 지식과 역사에 대해 말하고 있다는 점이 매력적이다. 게다가 저자가 일본을 여행하면서 먹어본 음식에 대한 경험을 생동감 있게 녹여내 공감을 불러일으킨다.

— 예이란葉怡蘭, 음식여행작가, 'Yilan 미식생활' 사이트 개설자

일본 역사 연표

	시대	연대
고대	아스카 시대	6세기 말 ~ 710
	나라 시대	710 ~ 794
	헤이안 시대	794 ~ 1192
중세	가마쿠라 막부	1192 ~ 1333
	고다이고 일왕 시대	1134 ~ 1336
	무로마치 막부	1336 ~ 1573
근대	아즈치 모모야마 시대	1573 ~ 1603
	에도 시대	1603 ~ 1868
현대	메이지 시대	1868 ~ 1912
	다이쇼 시대	1912 ~ 1926
	쇼와 시대(제2차 세계대전 전)	1926 ~ 1945
	쇼와 시대(제2차 세계대전 후)	1945 ~ 1989
	헤이세이 시대	1989 ~ 현재

오감으로 느끼고 지적으로 음미하는 일본 음식

이 책은 일본 맛집 안내서가 아니다. 별점이나 점수를 매긴 평가도 없다. 신기하고 이상한 맛을 소개하는 책도 아니고, 숨겨진 요리 비법서도 아니고, 일본 요리 백과사전도 아니다. 이 책은 음식 문화와 역사에 관한 책이자 지적 음미에 관한 책이다. 나는 음식의 전통을 이해하는 과정을 통해, 여행을 통해, 감각 체험을 통해, 읽기를 통해 여러분이 일본 요리의 원류와 발전 과정을 알고, 풍토와 요리의 차이를 느끼길 바랄 뿐이다.

타이완 곳곳에 수많은 일본 레스토랑이 있지만 우리가 아는 일본 음식은 그저 흉내만 냈을 뿐 실제와 다르다. 음미吟味는 단순히 맛뿐만 아니라 몸과 감각이 음식과 교류하는 과정을 느끼는 것이다. 음식은 뭔가를 먹는 순간의 감동을 넘어서 음식이 있는 공간과 음식을 먹는 과정, 서비스와 다 먹고 나서의 감동까지 모두 포함한다. 그리고 바로 이런 점이 타이완 음식에는 부족하다.

2013년 타이완을 대표하는 단어로 '假가짜'가 선정되었고, 2014년에는 '餿밥 쉴 수, 음식이 쉬다'가 선정되었다. 둘 다 음식과 관련된 단어인데, 식품 안전에 대한 우려 때문이었다. 2013년 간장, 참기름부터 2014년 시궁창 식용유까지 일상적으로 먹는 식품이 단순히 가짜가 아니라 독이었으니 우리 몸속에 알 수 없는 독들이 얼마나 가득할까?

타이완은 미식의 천국이라 불리는 나라인 만큼 누구나 자신만의 독특한 식습관이 있고, 혼자만 알고 다니는 레스토랑이 있는 듯하다. 하지만 다들 새로운 레스토랑과 독특한 맛을 찾는 데 그칠 뿐이다. 생산지에서 식탁까지, 식탁에서 문화까지, 문화에서 역사까지 전체를 아우르는 사고는 부족하다. 서양 격언에 '음식이 곧 사람이다'라는 말이 있다. 음식이 그 사람의 품위, 생활, 문화를 보여준다는 뜻이다. 타이완 사회에서 일어난 식품 안전에 대한 문제는 실은 사회 전체의 문제다. 몸에 문제가 생기면 그 통증의 원인을 찾아 치료하면 되지만, 문화는 전체적인 시각에서 해결 방법을 찾지 않으면 그 근원을 알기 어렵다. 요즘 타이완, 중국에서 일어난 식품 안전 사건들 때문에 나는 다른 나라에서 음식 문화의 정수를 찾아보고 싶은 바람이 강하게 생겼다.

일본 요리는 오랫동안 발전하고 변화해왔다. 긴 시간 일본은 중국 문화와 밀접한 관계를 맺다가 메이지 유신을 통해 서양 문명과 가깝게 교류하기 시작했다. 일본에 대해 이렇게 말하는 사람들이 많다.

"일본인은 모방은 정말 잘하는데 자신만의 창의성은 없다."

정말 그런가? 데판야키, 돈가스, 라멘은 모두 다른 나라의 영향을 받았지만 일본의 음식 문화로 바꾸기 위한 일본인의 노력이 깃들어 있다. 이 책에서 나는 그것을 '미각의 전환'이라 부른다.

근대 일본 요리는 현재 도쿄 일대인 에도 막부 시대부터 발전했다. 에도 4대 음식이라 불렸던 스시초밥, 우나쥬장어덮밥, 덴푸라튀김와 소바메밀국수는 지금도 여전히 도쿄 사람들의 일상 음식이다.

도쿠가와 이에야스가 에도도쿄를 도읍으로 정한 뒤 형성된 음식 문화는 메이지 유신과 제1, 2차 세계대전을 거치면서도 여전히 '에도의 맛'을 지키고 있을 뿐 아니라 거기에 새로운 맛을 더했다.

만약 변화한 도쿄에서 에도의 맛을 느끼고 싶다면, 미슐랭 가이드나 인터넷 맛집 평가를 찾아다닐 것이 아니라 먼저 에도 시대의 역사와 도시 문화를 이해해야 한다. 그 때문에 나는 일본의 국보라 일컬어지는 요리 장인들을 찾아 나섰다. 에도 요리의 3대 장인으로 손꼽히는 장어의 신 가네모토 가네지로, 스시의 신 오노 지로, 덴푸라의 신 사오토메 데쓰야…. 모두 일흔을 넘긴 요리사들로, 에도 시대의 맛을 연면이 이어가고 있다.

우리는 때로 '먹는' 일을 소홀히 여긴다. 땅이 잉태해 기른 식재료에 대한 존경과 감사가 부족하다.

일본인은 음식물과 자연을 존중하고, 경애하는 마음으로 음식을 즐긴다. 설화를 보면 일본 일왕이 신성한 존재가 된 것은 하늘로부터 볍씨를 가져와 일본에 농경 문화를 열었기 때문이다. 일본 요리를 말할 때 종교와 자연을 함께 보지 않는다면 그것은 레스토랑의 겉모습과 음식의 단순한 맛만 보는 것처럼, 음식의 정수를 제대로 이해할 수 없다. 때문에 나는 음식에 대한 존경심을 가지고 일본 음식의 전통과 사찰 음식에서 미각의 근원을 찾고자 했다.

나는 나가노, 니가타, 이즈, 교토, 히로시마, 쇼도시마, 도쿄 등 일본 곳곳을 다니면서 풍토와 음식의 관계를 찾아보았다. 땅은 음식의 근본이다. 땅과 기후, 습도는 식재료에 영향을 깊게 미친다.

요리 대사 기타오지 로산진은 이런 말을 했다.

"맛있는 요리라 하면 조리 방식은 두 번째이고 가장 중요한 것은 식재료다.", "일본 요리에서 식재료의 중요성이 90%이고 요리 기술은 10%에 불과하다."

그의 말이 옳다. 그래서 나는 교토에 가면 교토 음식을 먹고, 이즈에 가면 가을 특산 금눈돔을 맛보고, 나가노에 가면 수타 소바를 먹고, 니가타에서는 고시히카리 쌀을 맛보고, 도쿄에서는 자연산 장어를 먹었다. 일본인이 말하는 '계절 한정', '지역 한정'은 단순한 광고 전략이 아니라 자연에 대한 마음속 깊은 경의를 표현한 것이다. 여름에 가을 식재료를 먹는다면 대부분은 건조나 냉동처럼 가공을 한 것이어서 계절감을 잃고 만다.

일본인에게 여행은 지역의 풍광을 보는 것으로 끝나는 것이 아니라 그 지역의 음식과 술을 맛보고, 그 지역의 물을 피부로 느끼며, 그 지역의 풍속을 이해하는 것이다. 이것이 바로 일본인이 늘 말하는 '오감체험'이다.

끝으로 이 책을 읽는 독자들이 역사와 문화를 통해 일본 음식을 이해하고, 음식의 맛과 즐거움을 느끼며, 더 나아가 우리의 음식 문화를 되돌아볼 수 있기를 바란다.

자, 음식이 다 준비되었다. 이제 함께 일본으로 떠나자!

후촨안

을미년 가을, 캐나다 몬트리올 마운틴 로얄에서

차 례

1장
일본 음식, 세계를 담다

일본 음식에는 나의 사랑, 인생과 가족의 소중한 기억이 서려 있다.

이 책을 나의 아버지 후더창과 어머니 세시우친,

사랑하는 아내 쩐잉에게 바친다.

1장

일본 음식, 세계를 담다

日本飲食

돈가스
: 일본식 양식의 탄생

일본은 육식이 몸과 마음을 더럽힌다고 여겨 1,200년간 육식을 금했다. 다시 육식을 받아들이는 커다란 변화가 일어난 것은 메이지 유신明治維新 때다.

메이지 5년, 1872년 2월 18일 이른 새벽, 흰옷을 입은 자객 열 명이 황궁을 침입하려다 경비에게 발각되어 네 명은 죽고, 한 명은 중상, 다섯 명은 붙잡혔다. 자객은 일본 전통 종교인 신도神道의 엄격한 수행자들로, 심문 결과 이들은 같은 해 1월 24일 메이지 일왕이 발표한 육식해금령肉食解禁令에 반대해 침입한 것이라 했다.《돈가스의 탄생とんかつの誕生:明治洋食事始め》에 당시 그들의 주장이 실려 있다.

"이민족이 일본에 온 후, 일본인이 육식을 함으로써 몸과 마음이 어지럽고 혼탁해져서 신이 머물 곳이 없어졌다. 그러니 이민족들을 몰아내고 신과 제후의 땅을 예전대로 돌려주길 바란다."

7세기 중엽 덴무天武 일왕이 육식을 위한 살생을 금지하는 조서를 내린 이후, 일본인들은 가축 중에서 닭, 오리, 소, 돼지를 먹지 않게 되었다. 동물성 단백질은 일부 야생 육류와 주로 생선을 통해 섭취했다. 기록에 따르면 당시에는 귀족부터 평민까지 육식을 불결하다고 여겼다. 육식을 하면 몸에서 좋지 않은 냄새가 날 뿐 아니라 몸과 정신이 혼탁해져 신을 모실 수 없다고 생각했다.

메이지 일왕이 육식을 제창한 것은 일본인의 체격을 크고 강하게 만들어야 서양인과 경쟁해 강대국이 될 수 있다고 판단했기 때문이다. 이런 시각에서 보면 메이지 유신은 일본인에게 단순히 군사력 강화와 정치개혁을 넘어 미각의 혁명, 신체와 문화적 변화까지 불러일으킨 것이다.

양식은 서양 요리가 아니다

양식洋食과 서양 요리西洋料理, 이 두 단어는 일본의 한자와 중국어가 같다. 글자의 의미로 보면 별다른 차이가 없지만 20세기 초로 돌아간다면 두 단어의 차이점을 알 수 있다.

간단히 말하면 서양 요리는 영국, 프랑스, 독일 등 유럽 국가의 음식이다. 메이지 시대 일본 정부는 영빈관에서 프랑스 요리를 준비해 외국 귀빈을 대접했고, 지금도 마찬가지다. 서양 요리는 정통을 중시하기 때문에 요리의 본국에서 먹는 그대로 맛과 서비스, 먹는 방식까지 똑같이 일본으로 들여왔다. 반면 양식이라 칭했던 음식은 서양 요리를 다르게 표현했다기보다는 서양 요리의 영향 하에 일본식으로 변화된 서양식 요리라고 할 수 있다. 당시 크로켓, 카레라이스, 돈가스とんかつ를 3대 양식이라 불렀다. 일본의 민속학 창시자인 유나기타 구니오柳田國男治는《명치대정사明治大正史》〈세상편世相篇〉에서 이렇게 말했다.

"양식은 먹는 법에서 만드는 법까지 모두 우리 일본 것이다."

메이지 유신 시대 일본인은 서양 문화를 전면적으로 받아들였다. 그렇다면 과연 미각과 음식 문화를 어떻게 바꾸었을까? 구체적인 과정은 어떠했을까? 하는 호기심이 생긴다. 음식을 먹는 일은 지역, 종족마다 자신만의 방법으로 정의 내린다. 따라서 단순히 생명 유지를 위한 수단 외에 문화적 경계가 되기도 한다. 육식을 먹지 않다가 먹게 되는 일은 고양이나 개를 먹지 않는 사람에게 정치적 압박을 가해 그것을 먹게 하는 것처럼 실로 엄청난 변화다. 일본인의 미각과 음식 문화의 변화와 혁신에 대해 알고 싶다면, 돈가스 이야기부터 들어보자.

일본의 육식 역사

일본인이 육식을 하지 않은 역사는 1,200년이나 된다. 때문에 메이지 일왕이 조서를 내려 소고기와 돼지고기의 좋은 점을 강조하고 전파하려 했지만 처음에는 일부 상류층만 받아들일 뿐이었다. 오랫동안 육식은 불결함, 오염 등과 연관되었기 때문에 정치적 명령으로 단번에 민심을 파고들기는 어려웠다. 후에 후쿠자와 류키치˚ 같은 지식인들이 육식과 문명개화를 결합해서 선전하면서 점차 전파되었다. 《동경신번창기東京新繁昌記》를 보면 다음과 같은 육식 관련 선전 글이 있다.

"소고기는 사람에게 늘 열려 있는 약국이고, 문명이 주는 좋은 약이다. 정신을 기르고, 장과 위를 건강하게 하여, 혈행을 원활히 하는 데 도움을 주고, 살을 찌운다."

˚ 1835년에 태어나 1901년에 세상을 떠났다. 일본 메이지 시대의 저명한 사상가, 교육가로 만엔 지폐의 주인공이다. 게이오기주쿠 대학의 설립자로 메이지 시대 6대 교육가 중 한 사람이다. 그의 '탈아시아론'은 메이지 유신에 영향을 미쳤다.

메이지 시대부터 군대에서도 육식을 시작했다. 이 군인들이 퇴역하고 집으로 돌아가 고기를 팔기 시작하면서, 점차 민간으로 자연스럽게 보급되었다. 하지만 고기를 파는 일과 먹는 일은 서로 다르고, 맛을 더하고 조리하는 방법은 또 다른 일이었다. 일본인은 서양 요리의 조리법이 입맛에 맞지 않았고, 빵과 함께 고기를 먹는 것도 낯설었다. 칼과 포크를 사용하는 것은 더욱 난감한 일이었다. 일본인의 식습관에 맞게 먹는 방식과 요리법을 바꾸는 일은 육식 보급을 위해 반드시 해결해야 할 난제였다.

렌가테이, 돈가스의 탄생

렌가테이는 4대째 가업을 이어가며 여전히 도쿄 긴자에서 영업 중인 돈가스 전문점이다. 1895년 처음으로 돼지고기를 덴푸라 방식으로 요리했다. 덴푸라는 강하게 튀기는 방식deep fat frying으로 서양 요리에서 자주 사용하는 가볍게 튀기거나 굽는 방식과는 사뭇 다르다.

《돈가스의 탄생》에 돈가스와 포크커틀릿의 차이가 잘 설명되어 있다.

"포크커틀릿은 얇게 저민 돼지고기에 밀가루를 입혀 기름에 튀기듯 구운 다음 소스를 듬뿍 뿌리고 칼과 포크를 이용해 잘라가며 먹는다. 반면 돈가스는 돼지고기를 두툼하게 썰어 소금, 후추로 밑간을 한 뒤 밀가루, 달걀, 빵가루를 차례로 입혀 기름에 튀긴다. 젓가락으로 먹기 편하도록 잘라서 담고, 양배추를 가늘게 채 썰어 담은 뒤 소스에 찍어 먹는다. 미소시루, 쌀밥과 함께 먹으면 더 맛있다."

그때부터 돈가스는 서양 요리가 아닌 일본식 양식이 되었다.

개업한 지 100년이 넘는 렌가테이는 돈가스 탄생 초기의 맛을 그리워하는 사람이 반드시 찾는 집이다. 현재 일본에 있는 와코, 사보텐, 마이이즈미 같은 프랜차이즈 돈가스집과 개인이 경영하는 돈가스집들이 모두 그들만의 튀김 방식과 맛으로 다들 상당한 수준을 보여준다. 이제 돈가스는 100년 전과 달리 누구나 즐겨 먹는 평범한 음식이 되었다.

꿈의 돼지고기 '도쿄 X'

돈가스의 진한 갈색 빛과 바삭한 식감, 씹는 순간 터져 나오는 육즙. 거기에 미소시루와 흰쌀밥, 아삭한 양배추까지… 누가 뭐래도 돈가스는 정말 맛있는 음식이다.

제2차 세계대전 후 돈가스 요리법은 보다 정교해졌고, 마블링

일본식 양식 돈가스

좋은 고기를 위한 특별한 양식법이 양돈업계에 전해졌다. 돼지를 도살하기 전에 안마를 해주면 지방이 골고루 분포되고, 먹을 때 식감이 훨씬 부드러워진다고 한다. 현재 돈가스는 원재료를 특히 강조하는 추세여서 특정 농장에서 돼지를 공급받고, 튀기는 온도와 방법도 제각각 특색을 자랑한다.

사육하는 돼지의 품종에도 많은 변화와 발전이 있었다. 1997년 도쿄 축산 실험장에서 7년 동안 공들여 배양한 '도쿄 X TOKYO X'가 탄생했다. 이 돼지는 '꿈의 돼지고기 도쿄 X'라 불린다. 서양의 요크셔, 두룩 저지와 베이징 흑돼지를 교배한 종으로, 지방이 없는 살코기 부위에도 마블링이 가득해 입에 넣으면 살살 녹는다. 이런 놀라운 품종의 탄생은 아마 일본의 장인문화가 있어서 가능할 것이다.

전통이 있는 돈가스집

도쿄에서 전통이 깊은 돈가스집을 몇 곳 방문했다. 우에노에 있는 후타바双葉, 호라이야처럼 분점 없이 단 한 곳밖에 없는 가게도 좋지만 내가 가장 추천하는 곳은 히라타 목장平田 牧場이다. 도쿄에도 분점 몇 곳이 있다. 도쿄의 몇몇 돈가스집에서도 히라타 목장에서 양식한 삼원돼지三元猪를 이용한다. 대표적으로 엔라쿠가 있다. 이곳에서는 돼지고기를 저온에 천천히 튀겨낸 다음 히말라야 암염에 찍어 먹는다.

삼원돼지는 동북쪽 야마가타 현에서 생산된다. 육질이 뛰어난 세 종류의 돼지를 교배해서 탄생한 품종으로, '히라타의 삼원돼지'라고 불린다. 히라타 목장에서는 이 돼지를 자신들이 직접 경영하는 돈가스집에 공급할 뿐만 아니라 일반 가정에서도 구입할 수 있도록 수퍼마켓에 공급하고 있다. 산지에서 직송되는 삼원돼지의 육질은 말이 필요 없다. 이 밖에 도쿄 롯본기에 있는 부타구 미식당은 전국 각지의 농장과 계약해서 북으로는 홋카이도에서, 남으로는 규슈 가고시마의 흑돼지까지 모두 산지에서 직접 공급받아 사용한다. 식당은 개방형 부엌으로 설계되어 있고, 주문을 받으면 요리사는 바로 커다란 고깃덩어리를 잘라 밀가루를 묻히고 기름에 튀겨 돈가스를 만들어낸다. 곁들이는 양배추도 근처 농장에서 직접 배송받아 사용하기 때문에 돈가스를 먹으면서 인근의 농산물을 체험할 수 있다.

메이지 유신 이후 지금까지 100여 년이 넘는 시간 동안, 일본인의 미각적 습관이 돼지고기를 받아들일 수 있도록 서양 요리를 '일본식 양식'으로 변화시켰다. 또한 독특한 음식 문화와 토양의 특성을 잘 반영해냈는데, 이런 음식 문화의 전환은 단순한 모방이라 할 수 없다. 다음은 와규와 데판야키 이야기로 또 다른 미각의 전환과 음식 문화의 교류를 소개한다.

추천 식당

부타구미식당 猪組食堂
주소 : 東京都港口六本木6-2-31
전화번호 : 03-3408-6751

긴카돈료리 히라타보쿠 초 金華猪料理 平田牧場 極
주소 : 東京都千代田区丸の内2-7-2 JPタワー6F
전화번호 : 03-6256-0829
홈페이지 : www.hiraboku.com

엔라쿠 燕樂
주소 : 東京都港口新橋6-22-7
전화 : 03-3431-2122
매주 일요일. 국경일 휴무

호라이야 蓬萊屋
주소 : 東京都台東區上野3-28-5
전화: 03-3831-5783
홈페이지 : www.ueno-horaiya.com
매주 화요일 휴무

기무카츠 에비수 본점
주소 : 東京都渋谷区恵比寿4-9-5
전화: 03-5420-2929
홈페이지 : www.kimukatsu.com

렌가테이 煉瓦亭

주소 : 東京都中央區日本橋銀座3-5-16

전화번호 : 03-3561-3882

매주 일요일 휴무

나리쿠라 成藏

주소 : 東京都新宿區高田馬場1-32-11

전화번호 : 03-6380-3823

매주 화요일 휴무

와규와 데판야키
: 동서양 음식 문화의 조화

일본인은 데판야키에서 서양의 맛을 보고, 서양인은 일본의 그림자를
본다. 데판야키에는 동서양의 음식 문화가 섞여 있다. 둘 사이는 마치
'네 안에 내가 있고, 내 안에 네가 있는' 관계 같다.

메이지 유신 이전에 일본인은 1,200여 년이란 긴 세월 동안
가축과 가금류를 먹지 않았다. 중국 요리에서 빠지지 않는 돼지,
소, 양은 모두 일본인이 먹지 않던 육류였다. 일본인은 주로 어류
와 야생 육류를 먹었고 그 때문에 음식이 담백한 편이었다. 또 육
류의 피비린내를 싫어해서 야생의 오리나 조류를 먹을 때는 우선
장에 담가 피비린내를 없애고 먹었다.

외국인이 일본에 들어온 이후, 일본에 거주하게 된 관리와 그
가족들은 소고기를 구하기가 쉽지 않자 막부에 소고기를 공급해
달라고 요구했다. 그들의 요청에 막부는 이렇게 답했다.

"우리나라 국민은 소를 키우고 있고, 소가 인류를 도와 많은 일을 해주는 것에 깊이 감사한다. 그래서 소고기를 먹지 않는다."

외국인들은 결국 미국이나 중국에서 소를 수입하는 방법을 택했는데, 그 수속과정이 아주 복잡했다. 게다가 매번 겨우 몇 마리 정도만 허가를 내주었다. 그들은 소고기 몇 점 먹겠다고 먼 외국에서 들여오느니 차라리 일본에서 소를 키우는 편이 낫겠다고 생각했다. 그래서 일본 오우미近江, 지금의 시가 현에 해당한다 지역에서 기르던 소를 고베로 데려오는 방법을 생각했다. 그리하여 그 유명한 고베규神戶牛, 고베 소고기가 탄생했다.

오우미의 소는 처음에는 일본인이 아니라 고대 백제와 신라에서 일본으로 온 이주자들이 키웠다. 이주자들은 오우미와 오오츠大津 부근에서 소를 키워 장군이나 제후들에게 바쳤다. 메이지 시대 이전에 육식을 금하는 금령이 있었지만 이주자들은 여전히 소고기를 먹고 있었다. 또 일본인들도 의료 행위의 하나로 몸이 허약해 영양을 보충해야 할 때 고기를 처방했다. 때문에 일부 귀족들은 의료 행위를 빌미로 고기를 먹었고, 평민들도 깊은 산속에 숨어서 몰래 고기를 먹곤 했다.

식감과 육질이 좋은 고베규

메이지 유신 이후 식용을 목적으로 소를 키웠고, 일본 소와 유럽, 미국의 소를 교배해 새로운 품종을 만들기도 했다. 일본 소를 총칭하는 와규和牛는 흑모japanese black와 갈색모japanese brown, 단각japanese shorthorn, 무각japanese polled 등으로 나뉜다. 과거에 일본인은 소를 키우면 토지가 오염된다며 소 사육장을 보통 사람이 없는 무인도에 만들었다. 예를 들어 규슈 외해外海에 있는 이키壹崎 군도의 무인도에는 1만 마리가 넘는 소를 방목해 키우는 사육장이 있었다. 이곳의 소들은 해풍을 맞으며 오염 없는 환경에서 자랐다.

1980년대 이후, 와규가 국제 소시장에서 점점 명성을 얻으면서 많은 나라에서 와규를 키웠다. 하지만 일본인들은 단순히 품종으로서가 아니라 일본의 물과 풀을 먹고 자라야 진정한 와규라고 생각한다. 미국의 소는 대부분 옥수수를 먹고 자라는데 와규는 특히 먹이와 물을 중시해 맥주를 마시고 음악을 들으며 자라기도 한다.

와규도 미국 소와 마찬가지로 지방의 분포에 따라 A1부터 A5 등급으로 나뉜다. 하지만 소의 지방 분포가 품질을 결정하는 절대적 기준은 아니다. 그보다는 토양, 기후, 수질에 따른 '맛'의 차이를 훨씬 더 중요시한다. 현재 고베와 마쓰자카松阪의 소가 세계적으로 유명하지만 일본 각 지역의 소마다 각각의 특색이 있다. 이와테岩手, 나가노, 홋카이도 지역의 소도 유명한데 지역마다 다른 맛을 내고, 같은 품종이라도 풍토와 환경에 따라 맛의 차이가 있다.

고베규는 원래 고베에서 수출된 일본산 소를 의미했지만, 지금은 타지마종의 일본산 흑모 소만을 고베규로 본다. 고베육류유통촉진회에서는 고베규를 다음과 같이 정의한다.

'고베 지역 효고 현에서 나고 키워진 소로, 한 번도 새끼를 낳지 않은 암소나 거세하지 않은 수소를 말한다.'

그 밖에 살코기 비율, 마블링 정도, 다리 부위의 고기 중량까지 규정하고 있다. 진짜 고베규는 조밀하고 섬세한 대리석무늬가 있고, 지방층도 골고루 분포되어 꽃 같은 모습에 육질이 신선하고 부드러우며 독특한 향과 식감이 있다. 소를 대량 사육하는 미국이나 캐나다와 달리 키우는 과정에 상당한 노력이 들어간다. 이런 특별한 사육과정, 식감과 육질에 대한 높은 요구 수준 때문에 원래 고기를 먹지 않던 일본인들도 점차 고기를 받아들이게 되었다. 또, 세계 소시장에서도 당당히 한 자리를 차지할 뿐 아니라 고베규는 고급 소고기의 대명사가 되었다.

와규가 늙었다는 편견

미국 소의 사육기간은 5개월인 데 비해 와규는 거의 30개월에 달하고, 특히 마쓰자카 소는 35개월에 이른다. 미국 농업부 기준에 따르면 와규는 너무 늙었다. 일본인은 왜 이렇게 오래 기르는 것일까? 그것은 일본인의 식생활이 육류에만 의존하지 않기 때문이다. 일본인 한 사람이 연간 먹는 소고기는 20파운드약 9킬로그램로 미국인 육류 소비량의 3분의 1에 불과하다.

일본인이 소고기를 먹는 조리법을 보면 핏물을 먹을 일이 없다. 그들은 덜 익혀 핏물이나 피비린내가 나는 요리를 좋아하지 않는다. 보통 소고기를 작게 잘라 팬이나 불에 완전히 익힌 다음 밥 반찬으로 젓가락을 사용해 소스에 찍어 먹는다. 서양인처럼 순수하게 고기만 먹는 방식과는 차이가 있다. 일본인은 서양인이 먹는 방식을 바꿔 데판야키를 만들어냈다. 데판야키도 돈가스와 마찬가지로 일본 음식 문화의 특수성 때문에 생겨난 국제 문화 교류의 산물이다.

소고기를 구워 먹는 스키야키의 탄생

철판 위에 소고기를 구워 먹는 방식은 일본 요리의 스키야키에

서 비롯됐다. 에도 시대 후기의 《요리지남料理指南》이란 책에 아래
와 같은 내용이 나온다.

기러기, 오리, 청둥오리, 사슴 등의 고기를 먼저 콩으로 만든 간장에 재워
두고, 사용하지 않는 농기구 가래스키를 불 위에 올려 달군다. 가래가 달
궈지면 유자 껍질을 올리고 그다음 재워둔 고기를 위에 올려 굽는다. 고
기가 갈색으로 변하면 먹는다.

스키야키는 일본어로 'すき焼き'로 표기한다. 원래는 좋아하는
것들을 철판 위에 함께 볶는다는 뜻이다. 일본 간사이關西 지역에
서 발전한 오사카야키나 히로시마야키도 비슷한 요리법인데, 나
중에 가래논밭을 갈 때 쓰는 철제 농기구에 얇게 썬 소고기나 돼지고기
를 구워 간장에 찍어 함께 먹는 것으로 발전했다.

외국인이 밀집해 살았던 고베, 요코하마에서 점차 소고기를 팔
기 시작했고, 메이지 정부와 지식인들도 육식의 좋은 점을 선전했
다. 하지만 서민들이 소고기를 먹기 시작한 것은 '국민개병제' 실
시와 관계가 있다. 군대에서 소고기를 영양가 있고 치료 효과가
있는 음식이라 선전했기 때문이다.

최초의 데판야키

1896년 고베 모토마치에 스키야키 전문점 겟카테이月下亭가 문을 열었다. 바닥이 평평한 냄비에 기름 외에 어떤 조미료도 더 하지 않고 소고기를 올려 굽다가 색이 변하면 바로 먹게 했다. 이 것이 데판야키의 최초 모습이었다. 다만 당시에는 지금보다 상당히 얇은 고기를 사용했고, 채 썬 양배추와 다른 식재료를 함께 구워 먹었다.

1945년 일본이 제2차 세계대전에 패하고 많은 미군이 일본에 주둔하게 되었다. 그때 고베에 스키야키 식당 미소노를 운영하는 요리사 후지오카 시게지藤岡 重次가 있었다. 당시 이 가게에서는 철판 위에 얇은 밀전병을 굽고 채 썬 양배추와 얇게 썬 소고기를 함께 볶아서 주었다. 어느 날 후지오카 시게지가 미국인들이 좋아하는 스테이크처럼 고기를 두껍게 잘라서 구웠는데, 이게 미군들에게 엄청난 인기를 얻게 되었다. 이것이 오늘날 먹는 데판야키의 시작이다. 후에 일본이 고도 경제 성장을 하는 동안 이 식당 또한 인기를 더해가면서 각지에 분점을 냈다.

데판야키

데판야키를 먹는 법

서양인은 데판야키를 일본 요리라고 보지만, 일본인은 서양의 구이 요리라고 생각한다. 데판야키는 과연 어디서 왔을까? 우선 어떤 이의 데판야키 시식 경험을 읽어보자.

처음에는 조금 무섭다.

당신이 커다란 식탁에―이 식탁은 구이 팬이기도 하다―앉아 있으면 갑자기 그가 나타난다. 셰프 같은 모습을 하고 있지만 마치 전투에 나선 무사 같은 분위기를 풍긴다. 그가 가볍게 목례를 하면 당신도 앉은 채 목례로 예의를 갖추면 된다.

그가 알 수 없는 미소를 지으며 칼을 꺼내들면, 당신은 긴장해서 젓가락을 움켜쥔다. 그가 자기가 밀고 들어온 손수레 옆에 선다. 손수레 위에는 신선한 새우가 가지런히 놓여 있다. 갑자기 그가 번개처럼 빠르고 바람처럼 소리 없이 움직이는 수도자가 된다. 쉬잇, 쉬잇, 쉬잇…. 그의 칼이 한 줄기 빛처럼 반짝이며 나란히 누워 있는 새우를 향해 바람처럼 움직인다. 새우는 어느새 한 입에 들어갈 크기가 돼서 철판 가운데서 춤을 추고 있다.

마침내, 진상을 밝혀낼 그 순간이 다가왔다. 그가 철판 위에서 지지직 소리를 내고 있는 새우를 들어 당신의 접시에 놓는다. 새우를 맛본 당신은 아마 마음속에서 기쁨의 탄식이 터져 나올 것이다. 물론 이것은 겨우 1막에 불과하다. 이 쇼는 같은 방식으로 계속 이어진다…. 소고기, 닭고기 그리고 각종 채소들.

아마 당신은 이런 만찬을 경험해보지 못했을 것이고, 발레 공연 같은 이런 장면을 본 적도 없을 것이다. 마침내 공연은 끝이 났다. 그가 목례를 하자 당신은 탄식한다. 그가 당신을 향해 감사를 표하고 당신도 그에게 감사를 표한다. 그가 걸음을 움직여 당신에게서 멀어져갈 때, 너무 배가 불러서 일어나지 못할 정도가 아니라면 당신은 아마 일어나서 그에게 뜨거운 박수를 보낼 것이다.

이 글은 〈하버드 대학교 MBA의 사례 연구〉에 실린 내용으로, 카타르지나 조안나 츠비에르트카Katarzyna J. Cwiertka 교수가 쓴 《현대 일본 요리의 형성: 음식, 권력과 국가정체성Modern Japanese Cuisine: Food, Power And National Identity》에서 인용한 것이다.

하버드 대학교의 사례 연구에서는 미국에서 크게 인기를 끈 데판야키 레스토랑 '베니하나 오브 도쿄Benihana of Tokyo'가 어떻게 성공했는지 그 과정을 소개하고 있다.

베니하나 오브 도쿄의 전설적인 이야기

미국에서 유명한 데판야키 레스토랑 '베니하나 오브 도쿄'는 뉴욕에서 시작됐다. 이 레스토랑은 큰 성공을 거두었을 뿐 아니라 상장한 회사로, 프랜차이즈 레스토랑으로는 드물게 많은 주식 투자자들에게 인기가 높았다. 영화 〈더 울프 오브 월스트리트〉에도 이 회사의 주식 이야기가 나온다. 이 레스토랑의 사장은 록키 아오키Rocky Aoki란 이름으로 불리는 아오키 히로아키青木 廣彰이다. 그는 일본 게이오 대학을 졸업했고 학창시절 학교 레슬링 팀에서 활동했다. 레슬링 시합에 참가하기 위해 처음 뉴욕에 온 그는 여행을 하다 이 도시와 사랑에 빠졌고 이곳에 남아 레스토랑 관리를 배우기로 결심했다. 처음에는 그저 살길을 찾기 위해서였는데 나중에 가게를 열기 위한 자금을 모으려고 아르바이트를 하면서 미국이라는 새로운 시장과 문화를 이해하고자 깊이 공부하게 되었다. 그는 여기저기서 닥치는 대로 아르바이트를 했다. 하렘 지역에서 아이스크림을 팔 때였다. 단순히 아이스크림만 팔면 별로 손님이 들지 않았는데, 가게 앞에 일본 우산으로 장식을 하고 일본 음악을 틀어놓으면 손님이 북적였다. 그는 미국인들이 자신들의 식습관을 바꾸는 것은 좋아하지 않지만 이국적인 문화와 분위기에서 식사하는 것은 좋아한다는 사실을 발견했다. 또 음식을 준비하고 조리하는 과정을 눈앞에서 직접 보는 것을 정말 좋아한다는 것도 알게 되었다.

그는 도쿄에서 데판야키 식당을 하는 아버지를 떠올렸다. 데판야키 식당에 미국인이 좋아하는 음식 먹는 방식과 습관을 접목하면 어떨까 하는 생각을 했다. 과연 베니하나 오브 도쿄는 미국에서 엄청난 성공을 거두어 현재는 점포가 60여 개에 달한다. 심지어 일본의 데판야키 프랜차이즈 레스토랑보다 훨씬 더 성공했고, 미국 하버드 대학교 MBA에서도 이 레스토랑의 경영 방식과 성공 사례에 관심을 많이 가졌다.

데판야키는 소고기 스테이크가 주인공이고 여기에 새우, 돼지고기, 닭고기가 함께 어우러진다. 이렇게 먹는 방식이 일본에서 온 것일까? 아니면 미국에서 온 것일까?

둘 다 아니기도 하고 둘 다 맞기도 하다. 데판야키는 미국과 일본 음식 문화가 교류한 결과물로, 두 나라의 전통 음식 방식이 절묘하게 합쳐진 것이다.

앞의 글에서 우리는 데판야키에 대한 몇 가지 핵심 요소를 알 수 있다.

– 철판 위에서 굽는다.

– 무사의 검술 같은 현장을 연출한다.

– 고기를 먹는다.

– 젓가락으로 집어 먹을 수 있는 크기로 잘라준다.

일본에 있는 데판야키 레스토랑에서는 여기에 흰쌀밥과 미소시루를 곁들여 먹는다. 서양식도 아니고 또 일본식도 아니다. 일본 데판야키 레스토랑은 처음에 고급스러운 이미지를 유지했으며, 호텔에서는 데판야키를 서양 요리 범주에 넣었다. 하지만 당시 서양 매체나 외국인이 자주 보는 일본 여행 정보지에는 철판 위에서 소고기 스테이크를 구워 젓가락으로 먹고, 쌀밥과 함께 먹는 데판야키를 일본 특유의 창작 요리로 보았다.

일본인은 데판야키에서 서양을 보고, 서양인은 데판야키에서 일본을 본다.

추천 식당

긴자 우카이테이 銀座 うかい亭
주소 : 東京都中央區銀座5-15-8 時事通信ビル 1F
전화번호 : 03-3544-5252
홈페이지 : www.ukai.co.jp(한국어 지원)
연중무휴

데판야키 그로우 鉄板燒 grow
주소 : 東京都文京區小石川2-24-2 高橋ビル 101
전화번호 : 03-6801-6467
홈페이지 : www.teppanyaki-grow.com
매주 월요일 휴무

세리나 신주쿠 몽쉘통통 瀬里奈 新宿 モンシェルトントン
주소 : 東京都新宿区西新宿2-6 新宿住友ビル 52F
전화번호 : 03-3344-6761
홈페이지 : www.seryna.co.jp/monchertonton/shinjuku
연말 연초, 2월 첫째 일요일, 8월 넷째 일요일 휴무

원조 데판야키 미소노 고베 본점 元祖 鉄板燒ステーキみその神戸本店
주소 : 神戸市中央区下山手通1-1-2 みそのビル7・8F
전화번호 : 078-331-2890
홈페이지 : www.misono.org(한국어 지원)
연중무휴

라멘
: 다양한 문화를 담다

제2차 세계대전 후, 일본의 기아 상태는 전쟁 때보다 훨씬 더 심각했다. 집이 없는 이들이 부지기수였고 대부분의 가정에 부엌조차 없었다. 서둘러 배고픔을 멈추게 할 음식이 필요했고, 그 와중에 라멘이 등장했다. 라멘은 처음에 길가 간이노점에서 팔다가 점차 가게 형태를 갖추기 시작했다.

라멘은 현대 일본 음식 중에서 아주 중요한 부분을 차지한다. 세계적으로도 라멘은 일본 음식을 대표한다. 중국에서 전해진 라멘의 역사는 에도 시대로 거슬러 올라간다. 미토번水戶藩의 2대 번주이며 코몬黃門의 시랑侍郎을 맡은 적이 있어 보통 미토 코몬水戶黃門이라 불리는 도쿠가와 미쓰쿠니德川 光圀를 일본 라멘의 시조로 본다. 그의 스승은 중국에서 건너온 유학대사 주순수朱舜水로, 그는 미토 코몬에게 유학儒學을 전해준 것 외에 밀가루와 연근가루를 섞어 국수를 만드는 방법도 전수해주었다.

국수의 역사는 굶주림과 관계가 많다. 예를 들어 소바가 에도 시대에 보급된 것도 대량의 농촌 인구가 도시로 유입되면서 싸면서도 빨리 배고픔을 해결할 수 있는 음식이 필요했기 때문이다.

라멘의 역사는 일본 제국주의 확장과 함께 시작되었다. 일본은 타이완, 한국, 만주, 중국 산동 지역에 식민 사업을 펼쳤고, 동시에 식민지의 노동력을 일본으로 들여오기 시작했다. 요코하마, 고베, 후쿠오카 같은 연해 도시에 수많은 중국인이 이주하면서 그들의 음식 문화도 함께 들어왔다. 그리고 많은 일본인 역시 중국으로 이주하면서 그곳에서 새로운 조리 방법을 배우게 되었다. 고기국물이 있는 국수는 요코하마, 아사쿠사는 물론 저 멀리 삿포로까지 여러 지역에서 유행했다. 여기에 일본인은 잘 먹지 않는 차슈_{간장에 절인 살코기}와 말린 죽순, 반으로 자른 반숙 달걀을 넣어 먹었다.

일본인에게 국수는 오랫동안 먹어온 소바가 가장 대표적이다. 중국에서 들어온 이 새로운 음식은 소바와는 달라 낯설어하는 일본인이 쉽게 받아들일 수 있도록 '중국 소바'라고 불렀다. 또 처음에 요코하마에 있는 난징 가에서 판다고 해서 '난징 소바'라고도 했다.

라멘이라는 이름은 어디서 왔을까?

라멘이라는 이름은 어떻게 지어진 것일까? 면을 팔던 식당 주인이 柳류 씨여서 이름에서 유래됐다는 이야기도 있고, 가게 밖이 綠地녹지라서 그렇게 됐다는 이야기도 있다. 일본어로 柳와 綠이 라멘拉面의 拉라와 발음이 비슷하기 때문이다. 이처럼 온갖 속설이 있지만 사실 그리 믿을 만한 근거는 없다.

'라멘박물관'의 자료에 따르면, 라멘의 일본 여명기는 다음의 몇몇 지역에서 시작되었다.

–1870년 요코하마 난징 가의 '카이호로會芳樓'가 문을 열었다.

–1884년 하코다테 '요와겐養和軒'에서 난징 소바를 팔기 시작했고, 라멘이 처음으로 신문 광고에 등장했다.

–1899년 요코하마 난징 가에 라멘집들이 줄지어 개업했다.

–1906년 도쿄 시내에 '지나支那소바' 가게가 문을 열었다.

–1910년 도쿄 아사쿠사에 '라이라이겐來來軒'이 개업했다. 최초로 노점 형식으로 라멘을 판매한 곳이다.

중하층 서민이 즐겨 먹던 라멘

　제1차 세계대전 후 일본 사회에 라멘이 보편화되었다. 당시 일본 사회는 공업화되면서 많은 농민들이 도시로 이주해 공장 노동자로 일했다. 그들 노동자 대부분은 혼자 사는 남자여서 빠르고 간편하게 먹을 수 있으면서 값싼 음식이 필요했다. 그런 사회 분위기와 필요에 따라 원래 자유무역항에서 일하는 중국인들이 즐겨 먹던 값싼 면이 점차 일본 노동자 계층으로 파급되었다. 1930년대 들어서는 도쿄에만 150여 개가 넘는 라멘집이 문을 열었고, 그 후 전국적으로 퍼졌다.

　나는 일본 영화감독 이타미 주조伊丹十三의 영화를 아주 좋아한다. 그의 영화는 일본 사회에 대한 풍자가 가득하고, 사회 문제를 해학적으로 표현한다. 그중에서 〈담뽀뽀〉는 라멘집을 운영하는 여주인공의 파란만장한 이야기를 담고 있다. 혼자 아이를 키우는 담뽀뽀담뽀뽀는 일본어로 민들레라는 뜻이다는 고속도로변에 작은 라멘집을 열었는데, 어떻게 라멘을 삶고 만드는지도 잘 몰라 손님들에게 혹평을 들어야 했다. 비바람이 불던 어느 밤, 라멘에 해박한 지식을 갖고 있는 트럭 운전기사 고로가 가게에 왔다. 혼자 고생하는 연약한 여성을 도와주려고 그는 진정한 라멘이 무엇이고, 어떤 맛인지 그녀에게 알려주기로 결심한다.

　"면발이 살아 움직이게 만드는 것은 바로 국물입니다."

고로는 이렇게 말하고, 담뽀뽀에게 훌륭한 라멘을 만드는 방법
과 제대로 먹는 법을 알려준다.

먼저 냄새, 국물의 색깔, 파, 김 그리고 챠슈까지 전체적으로 조
화를 이뤄야 한다. 먹을 때는 젓가락으로 국물을 가볍게 한 번 저
은 뒤, 조심스럽게 챠슈를 들어 국물에 한 번 담근 뒤에 먹는다.
면발을 한 번 먹고 죽순을 하나 먹은 다음 국물을 세 번 떠먹는다.
다 먹을 때까지 반복한다.

이타미 주조는 영화에서 라멘에 대한 일본인의 애정을 유머러
스하게 표현했고, 당시 일본 사회에 관한 몇 가지 정보도 전해준
다. 영화에서 당시 라멘은 노동자나 중하층 서민들이 주로 먹으
며, 라멘집을 운영하는 일은 비용이 비교적 적게 들고 별다른 기
술이 없는 여성도 한번 도전해볼 만한 분야라는 것을 보여준다.

일본 신요코하마 라멘박물관

앞에서 말한 일본 라멘박물관은 신요코하마에 있으며 정확한
이름은 '신요코하마 라멘박물관'이다. 명칭은 박물관이지만 사
실 이곳에는 일본 각지의 라멘을 파는 가게 10여 곳이 모여 있다.
1994년에 문을 열어 지금까지 20년 넘게 영업하고 있다. 하루
평균 3,000그릇의 라멘을 팔고 있고, 주말에는 7,000그릇에 달

신요코하마 라멘박물관

한다고 한다. 박물관은 그리움과 향수를 콘셉트로 1950년대 도쿄 거리를 재현해 놓았다. 좁디좁은 골목길, 깜빡이는 신호등, 사탕을 파는 작은 가게…. 거리에는 오래된 흑백텔레비전이 있고, 천장은 막 해가 질 무렵의 붉게 물든 구름과 노을이 진 하늘로 꾸몄다. 그런데 라멘박물관은 왜 하필 1950년대의 도쿄 거리를 배경으로 만들었을까?

제1차와 제2차 세계대전 사이에 일본은 한창 전쟁을 준비하고 있었다. 수많은 농민들이 농사를 포기한 채 군에 입대하는 바람에 일본 본토 양식이 부족해졌다. 부족한 식량을 대부분 타이완이나 조선 같은 일본의 식민지에서 실어왔다. 원래는 자급자족하고도 남았던 쌀이 부족해 수입에 의존하게 된 것이다. 제2차 세계대전이 끝나자 전쟁에 패한 일본은 식량 공급 부족에, 고향으로 돌아온 수많은 군인들까지 더해져 굶주림 상태가 전쟁 때보다 오히려 더 심각했다. 이때 라멘이 등장했고, 처음에는 길거리 노점 형태로 팔다가 점점 가게를 이루기 시작했다.

햄버거보다 더 잘 팔리는 인스턴트 라멘

이제 일반 국수에서 발명되어 나온 인스턴트 라멘에 대해 이야기해보자.

타이완계 일본인인 안도 모모후쿠安勝 百福가 만든 인스턴트 닭고기 라멘의 탄생은 라멘 역사상 혁명적인 사건이다. 그의 본명은 우바이푸吳百福, 타이완 지아이嘉義 출신으로 전쟁이 끝나고도 계속 일본의 국민이 되기를 자처하고 일본에 남아 앞일을 도모하기로 했다.

그는 당시 유행하던 라멘을 어떻게 하면 더 쉽게 보관하고 또 바로 먹을 수 있을까, 그리고 나아가 면의 수분을 없애 쉽게 부패하지 않을 수 있을까를 날마다 고민했다. 마침내 면의 수분을 없앤 후 기름에 튀기면 쉽게 부패하지 않는다는 것을 알아냈다. 먹을 때도 뜨거운 물을 부으면 수분이 국수 가닥 사이사이 구멍으로 침투해 건조한 면이 다시 부드럽게 변했다. 안도 모모후쿠는 엄청난 돈을 벌었을 뿐만 아니라 인류의 음식 섭취 방법에 큰 변화를 일으켰다. 2010년 통계에 따르면 전 세계에서 매년 10억 개의 인스턴트 라멘이 팔려나간다. 라멘은 맥도널드 햄버거보다 훨씬 빠른 패스트푸드이고 훨씬 더 잘 팔리는 음식이 되었다.

지역 특색이 강한 일본 라멘

일본 라멘은 지역마다 특색이 있어 다른 곳에서는 똑같이 따라할 수 없다. 라멘을 어떻게 일본인의 입맛에 맞게 만들까를 고민하던 이들은 소유간장와 미소된장를 떠올렸다. 여기에 각 지역마다 입맛의 차이를 고려해서 맛을 발전시키고 변화시키다 보니 이 과정에서 다양한 맛의 라멘이 탄생했다.

– 소유라멘醬油拉面

1910년 도쿄 아사쿠사에 문을 연 라이라이겐은 일본인들이 좋아하는 가다랑어, 닭뼈 육수에 소유를 넣어 국물을 만든 소유라멘을 팔았다. 소유라멘은 지금 일본 동북쪽 지방 일대, 특히 기타카타喜多方 일대에서 유명하다. 기타카타 라멘은 다이쇼 시대1912~1926년 말기에 길거리 좌판 형식으로 팔기 시작한 데서 비롯됐다. '겐라이겐源來軒'은 공인된 최초의 기타카타 라멘집이었고, 그때부터 현지 주민들은 점차 라멘을 먹게 되었다. 나중에는 아침 식사로 라멘을 먹고, 농번기에는 농사 중간에 새참으로 먹기도 했다.

– 돈고츠라멘猪骨拉面

일본 규슈 남부 지역에는 돼지고기를 즐겨 먹는 사람들이 비교적 많다. 그래서 그곳에서 돈고츠돼지뼈라멘이 발전했다. 대부분 돼지의 누린내를 싫어하기 때문에 돈고츠라멘은 누린내를 없애면서 깊고 하얗게 우려낸 진한 국물이 특징이다.

– 미소라멘味噌拉面

날씨가 추운 홋카이도에서 뜨끈한 라멘 한 그릇 먹는 것은 행복한 일이다. 그곳의 라멘에는 진한 미소 맛이 나는데, 거기다 버터와 마늘향도 느낄 수 있다. 다른 지역에서 살지만 홋카이도에서 일하는 일본인에게 미소와 돼지고기, 채소를 함께 푹 삶은 국물에 국수를 말아 먹는 맛은 아주 특별하다.

삿포로 미소라멘은 길거리 노점에서 시작해 1950년대에 '아지노 산페이味の三平'라는 점포를 열었다. 1950년대 이 가게의 1대 사장 오미야 모리토가 새로운 맛의 미소라멘을 개발했는데, 이 라멘의 유행은 인스턴트 라멘의 발전과 궤를 같이 한다. 1960년대 산요식품三洋食品이 인스턴트 라멘인 '삿포로 이치방 미소라멘'을 출시하면서 미소가 라멘의 중요한 맛 중 하나가 되었다.

80년대 이후 혼합 라멘

앞서 말한 지방 특색 라멘은 대략적으로 나눈 것에 불과하다. 이외에도 다양한 맛들이 한데 어우러진 라멘들도 많다. 특히 1980년대 이후 일본의 지역의식이 강해지고, 지역 음식 개념이 대두되면서 지역 특색의 맛을 강조하는 라멘도 함께 발전했다. 예를 들면 홋카이도는 삿포로 미소라멘, 아사히카야旭川 소유라멘과 하코다테의 시오소금라멘…. 도호쿠東北 지역은 기타카타, 요네자와米沢, 시라카와白河 라멘. 간토關東 지역은 요코하마, 도쿄와 사노佐野 라멘. 간사이 지역은 교토, 오노미치尾道, 도쿠시마德島와 히로시마 라멘. 규슈 지역은 하카다, 구루메, 구마모토와 가코시마 등이 각각 지역 특색의 맛을 낸다.

지역 특산물을 강조하다 보니 곁들이는 채소나 국물 또는 면발이 모두 지역 특색에 맞게 달라졌다. 사노 라멘의 면은 푸른 대나무를 이용해 수타 반죽을 해서 식감이 아주 좋다. 와카야마歌山는 예전에 기슈紀州 지역으로 간장이 유명해서, 현지의 간장을 배합해 맛을 낸 라멘 외에 이곳의 유명한 음식인 하야즈시早壽詞, 빨리 먹을 수 있는 스시를 함께 곁들여 낸다. 히로시마 라멘은 세토나이카이에서 잡히는 어류를 넣고 끓여서 만든 국물이 특징이다.

지역 특산 식재료에 따른 차이 외에도 가게 주인의 입맛이나 기호 또는 직접 만든 면이냐 기계 면이냐에 따라서도 상당한 차이를 보인다. 신문, 잡지나 인터넷에서 이런 차이를 적극적으로 장려하고 지지하는 기사를 자주 볼 수 있다. 또 각종 음식 프로그램에서도 대중들이 여러 가지 라멘의 차이를 비교해볼 기회를 제공하고 있다. 라멘은 이제 독특한 풍미와 개성이 있는 음식이 되었다.

세계로 향하는 라멘

　일본 전역에 있는 라멘집의 총 수는, 일본 전신전화주식회사가 펴낸 전화번호부에서 대략적 숫자를 파악할 수 있다. 대략 4만여 곳에 달하는데 그중에서 비율이 가장 높은 곳은 야마카타, 그다음이 도치키, 니카타, 아키타, 가코시마 등이 뒤를 잇는다.

　21세기에 들어서면서 일본 라멘은 이제 일본에서만 인기 있는 음식이 아니라 일본을 상징하면서 세계 시장에 진출했다. 이전에 미국이나 유럽에서 일본 요리 하면 보편적으로 비싼 가격에 섬세하고 정교한 음식이라는 인식이 있었다. 스시나 덴푸라, 데판야키처럼 일본 요리는 돈이 어느 정도 있어야 맛볼 수 있는 음식이었다. 그런데 근래 들어서 일본의 저렴한 서민 음식도 유럽과 미국 시장을 공략하고 있다. 돈가스, 교자, 이자카야 음식 등이 그 좋은 예이고, 물론 그중에서도 라멘이 가장 사랑받고 있다.

　이전에 고급스럽고 섬세한 음식과 고가 정책을 유지하던 일본 음식과 비교해서 라멘은 서양에서 이국적인 서민 음식이다. 젊은이들은 대부분 라멘을 좋아하고, 그것을 트렌디한 음식이라 생각한다. 로스앤젤레스의 '다이코쿠야大黑屋, Daikokuya'나 뉴욕 이스트빌리지의 '모모후쿠 누들바Momofuku Noodle Bar'는 모두 일본 라멘집이다. 이제 북미 지역의 대도시 어디에나 일본 라멘가게가 있다.

1980년대 일본 경제가 급속한 성장을 하고 있었음에도 일본인에 대한 미국인의 인상은 대부분 부정적이었다. 일본인은 돈 벌 줄만 알고 삶을 즐길 줄 모르는 민족이라 생각했다. 하지만 1990년대 이후, 수많은 일본 만화, 전자 게임 등이 인기를 끌었고, 일본 만화 주인공 분장을 하는 코스프레도 젊은이들에게 크게 유행하면서 일본에 대한 인식이 긍정적으로 바뀌었다. 뉴욕 대학교 조지 솔트 George Solt 교수의 연구에 따르면 급부상한 중국에 비해서 일본은 21세기를 사는 미국인에게 별다른 위협을 주지 않기 때문에 미국은 일본 문화에 친근감을 가지고 다가가려 한다.

미국뿐만 아니라 유럽 시장에서도 일본 라멘가게는 인기가 많다. 프랑스, 독일, 영국, 스페인에서 이태리까지 일본 라멘가게는 계속 증가 추세다. 또 각 나라의 고유한 음식 문화와 습관이 라멘과 결합해 새로운 라멘이 창조되고 있다. 캘리포니아식 라멘, 프랑스식 라멘, 브라질식 라멘 등 앞으로 다양한 라멘들이 라멘 역사의 한 장을 쓰게 될 것이다.

추천 식당

신요코하마 라멘박물관 新横浜ラーメン博物館
주소 : 横浜市港北区新横浜2-14-21 新横浜駅
전화번호 : 045-471-0503
홈페이지 : www.raumen.co.jp(한국어 지원)

삿포로 라멘공화국 札幌拉面共和國
주소 : 札幌市中央区北5条西2丁目エスタ10階
전화번호 : 011-209-5031
홈페이지 : http://www.sapporo-esta.jp/ramen
연중무휴, 입장무료

교토라멘코지 京都拉麺小路
주소 : 京都駅ビル10階
전화번호 : 075-353-5334
홈페이지 : http://www.kyoto-ramen-koji.com(한국어지원)

시나타츠 시나가와 品達品川
주소 : 東京都港区高輪3-26-20
전화번호 : 03-5475-7020
홈페이지 : http://www.shinatatsu.com
연중무휴

무테키야無敵家
주소 : 東京都豊島区南池袋1-17-1
전화번호 : 03-3982-7656
홈페이지 : www.mutekiya.com

잇토一燈
주소 : 東京都葛飾区東新小岩1-4-17
전화번호 : 03-3697-9787
홈페이지 : http://www.menya-itto.com
매주 월요일 휴무

일본 위스키
: 정통과 대중의 맛 대결

위스키가 스코틀랜드에서 일본으로 전해진 후, 여기에 일본인의 모방과 학습이 더해져 변화했고, 그 변화 속에서 탄생한 일본 위스키가 다시 유럽과 미국으로 퍼져나가고 있다.

스코틀랜드의 젊은 아가씨 리타는 국제결혼이 드문 시대에 스코틀랜드로 위스키 제조법을 배우러 온 일본 유학생 다케쓰루 마사타카와 결혼하기로 결심했다. 그녀가 일본에 대해 알고 있는 것이라곤 아주아주 먼 곳에 있는 나라라는 것뿐이었다. 스코틀랜드에서 일본에 가려면 배와 기차를 타고 무려 50일이 걸렸다. 그를 향한 사랑과 낭만, 열정이 준 용기밖에 없는 리타와 달리 그 남자는 그녀를 사랑하는 것 말고도 위스키를 너무나 사랑했다. 일본 땅에서 일본의 위스키를 만들고 싶어 했다.

다케쓰루 마사타카竹鶴政孝, 1894~1979와 다케쓰루 리타竹鶴 Ritta,

1896~1961, 두 사람은 함께 일본 위스키 역사의 한 장을 썼다. 다케쓰루 마사타카는 홋카이도 요이치에 다이니폰카쥬大日本果汁를 세웠다. 이름은 과즙 생산회사지만 사실 위스키를 생산했다. 이 회사가 나중에 세계적으로 유명한 위스키를 생산하는 니카Nikka의 전신이다. 2015년 봄에 방영된 NHK 아침드라마 〈맛상〉이 바로 이 둘의 낭만적인 사랑 이야기와 함께 일본 위스키의 탄생 이야기를 담고 있다.

일본 위스키가 탄생하다

1853년은 근현대 일본 역사를 결정하는 중요한 해였다. 페리 제독이 이끄는 미국 함대가 일본에 입항해 개항을 요구했고, 그 후 메이지 유신이 이어졌다. 그 당시 몸과 마음은 물론 감각까지 시대의 흐름에 따라 흘러가며 수시로 변했다.

세계 위스키 제조사들이 참고하는 《세계 위스키 연감World Whiskies Awards》을 보면, 2007년 니카의 '요이치 1987'과 산토리의 '히비키 30년'이 1등을 차지했다. 이어서 2008년에도 니카의 '요이치 20년'과 산토리의 '히비키 30년'이 각각 싱글 몰트 위스키 부문과 블랜디드 위스키 부문에서 1등을 차지했다.

오사카를 중심으로 성장한 위스키

위스키 사업이 성공하려면 시장과 고객이 필수다. 일본 위스키는 처음에는 오사카에 살고 있던 서양 문화에 젖어 있으면서 근대 분위기를 이끌어가던 이들을 중심으로 성장했다. 메이지 유신 때 정치 중심을 도쿄로 옮겼지만 그때부터 다이쇼 시대까지 오사카의 경제와 공업 생산이 일본 전국에 미치는 영향력은 도쿄를 훨씬 넘어섰다.

오사카는 19세기 말부터 20세기 초까지 일본 최대 도시였고, 그 출입구였던 고베는 일본 최대 항구였다. 당시 정치적 수도인 도쿄에 비해 경제적 수도였던 오사카에는 거상과 거부들이 많았다. 상업과 경제는 현대화되고, 외국의 문화가 고베를 통해 유입되고, 수많은 수입품들이 오사카의 부자는 물론 중산층에게도 흥미를 일으켰다. 포도주와 위스키를 마시는 일이 점차 시민들의 문화 속으로 파고들었다.

도리이 신지로와 다케쓰루 마사타카

산토리의 창업자인 도리이 신지로鳥井信治郎는 오사카의 상업적 분위기에서 태어나고 성장했다. 그는 열서너 살쯤 양주와 약재 도매상의 도제로 들어갔다. 거대한 시대 변화 속에서 그는 양주에 대한 일본인의 뜨거운 관심을 느꼈다. 또한 일본인이 모든 양주를 다 받아들이는 것이 아니라는 것도 발견했다. 예를 들어 일본인은 단맛이 감도는 와인은 좋아했지만, 신맛이 강한 와인이나 스모크 향이 너무 강한 위스키는 별로 좋아하지 않았다. 일본 음식이 담백하고 깔끔해서 강한 술이 어울리지 않았던 탓이다.

스무 살이 된 도리이 신지로는 1899년 '도리이 상점'을 열고―후에 이름을 고토부키야壽屋로 바꿨고, 이 회사가 산토리의 전신이다―양주와 통조림 등 외국 물건을 수입했다. 평범한 장사꾼을 뛰어넘는 배짱과 식견이 있던 도리이 신지로는 양주 수입 외에 일본 와인을 만들기 시작했고, 마침내 아카타마赤玉라는 와인을 생산하는 데 성공했다. 아카타마 와인은 포르투갈 와인을 기본으로 여러 나라의 와인을 배합하고 숙성시켜 일본 대중들이 좋아하는 맛과 향기를 만들어내 일본에서 엄청난 성공을 거두었다. 도리이 신지로는 와인 사업을 하면서 술을 만들고 조합하는 관련 기술을 배웠고, 여기서 일본 위스키 개발에 대한 생각과 믿음이 생겼다.

당시 오사카에 있던 셋스주조攝津酒造도 자신만의 위스키를 만들 생각을 하고 있었다. 그래서 젊은 직원 다케쓰루 마사타카를 스코틀랜드로 유학 보내 위스키 제조 과정을 상세하게 기록해 오도록 했다. 이때 기록한 일지가 바로 그 유명한 '다케쓰루 노트'이다. 하지만 셋스주조는 나중에 시장의 변화에 대처하지 못하면서 경영이 어려워져 위스키 사업을 벌일 수 없게 되었다. 도리이 신지로는 이 기회를 잡기 위해 연봉 4,000원圓 당시 일본 화폐 단위에 다케쓰루 마사타카를 야마자키山崎 위스키증류소 소장으로 데려온다. 위스키 역사가 미나베 아키라하루三鍋昌春가 계산해본 결과 당시 4,000원은 현재 2,000만엔약 2억 원 정도 된다고 하니 그가 다케쓰루 마사타카를 얼마나 중시했는지 알 수 있다.

야마자키 위스키증류소는 교토 외곽 야마자키에 세워졌다. 야마자키는 예로부터 일본에서 수질이 좋기로 유명한 곳이라 전설적인 다도가 센 리큐千利休도 이곳에 다실을 열었다고 한다. 증류소는 오바야시大林가 설계와 시공을 맡아 1924년에 완공됐다. 증류소의 설비 중 영국에서 맥아분쇄기를 수입한 것 외에 나머지 설비는 모두 일본에서 자체 제작해 사용했다. 1924년 증류소가 처음으로 일본 자체 위스키 '시로후다白札'를 생산했고, 뒤이어 '베니후다紅札'가 출시되었다. 하지만 둘 다 시장에서 좋은 반응을 얻지 못했다. 그것은 다케쓰루 마사타카가 정통 스코틀랜드 위스키를 고집해 스모키향이 강하게 났기 때문이다.

---

* 본명 다나카 요시로오(田中與四郎). 1522년에 태어나 1591년에 사망했다. 일본 아즈치 모모야마 시대의 유명한 다도종사로 일본에서는 다성(茶聖)이라 불린다. 도요토미 히데요시의 노여움을 사서 할복명령을 받고 자결로 생을 마감했다.

스카치위스키, 정통과 일본인의 입맛 사이에서

도리이 신지로는 두 번에 걸친 위스키 실패를 겪고 새롭게 고민하기 시작했다.

'일본인은 외국 문화를 그대로 받아들일 수 있을까?'

그는 과거 와인을 팔 때 쌓았던 경험에서 답을 찾아냈다. 그는 보리를 볶을 때 사용하는 이탄泥炭에서 일본인이 좋아하지 않는 스모크향과 매운 향이 과하게 나는 것을 발견했다. 이제 그는 '일본인의 입맛에 맞는' 위스키 제조법을 찾아야 했다.

반면 다케쓰루 마사타카가 생각하는 이상적인 위스키는 일본인 입맛에 맞추는 데 있지 않았다. 그의 목표는 원래 그대로 정통 스카치위스키의 맛을 재현하는 데 있었다. 때문에 그와 도리이 신지로는 갈림길에 섰다. 다케쓰루 마사타카는 야마자키 위스키증류소를 떠나 스코틀랜드와 비슷한 기후조건의 홋카이도 요이치에 위스키증류소를 세웠다.

도리이 신지로는 위스키 제조를 위해 엄청난 자금을 투입했는데, 이익은 예상에 훨씬 못 미쳤다. 적자를 메우기 위해 그는 주력 상품인 야카타마 와인의 생산 비용을 낮추기로 결정했다. 우선 도쿄 대학교의 사카쿠치 기니치로坂口謹一郎 교수를 찾아가 도움을 청했다. 사카쿠치 기니치로 교수는 원재료를 외국에 의존하는 것은 언제든 외국의 상황에 영향을 받을 수밖에 없다고 설득하며 일본에서 와인용 포도를 재배하려고 노력하는 가와카미 요시효에川上善兵衛를 신지로에게 소개했다.

도리이 신지로는 가와카미 요시효에의 도움을 받아 야마나시山梨 현에 대규모 토지를 구입해 포도를 옮겨 심어 주력 상품인 야카타마의 원재료를 확보했고, 남는 자금을 위스키 제조에 투입했다. 자금이 풍족해지자 도리이 신지로는 일본인의 입맛에 맞고 다른 음식과도 잘 어울리는 술을 찾아낼 수 있었다.

산토리 홈페이지에 들어가 보면 야마자키에서 만드는 위스키는 일본 요리의 담백함과 깔끔함을 가지고 있다고 소개한다. 그 내용도 상당히 풍부하다.

담백하고 깔끔한 일본 음식에 가끔 짙고 강한 맛을 준다면, 오랫동안 이런 일본 음식을 먹고 자란 일본인은 그 섬세하면서도 치밀하게 숨어 있는 우아한 맛에 금방 사랑에 빠질 것이고, 미각을 깨우는 강렬함에 깜짝 놀랄 것이다. 야마자키는 지나치게 강한 스모키향은 빼고 깊고 부드러운 향기를 만든다는 목표를 위해 끊임없이 노력하고 도전하고 있다.

도리이 신지로의 지휘 하에 야마자키 위스키증류소에서 숙성하고 배합한 위스키 '가쿠빈角瓶'이 1937년 출시되었고 큰 인기를 끌었다. 그의 성공은 과거 와인을 제조한 경험에서 나온 것으로, 일본 위스키 특유의 맛을 지녔다는 평을 받고 있다. 이후 싱글 몰트 위스키도 출시했고, 산토리 창립 50주년에는 일본의 알프스산맥 아래 하쿠슈白州에 위스키증류소를 세웠다.

한편 다케쓰루 마사카타의 고집스런 노력으로 니카도 스카치위스키의 풍미가 가득한 위스키 '요이치'를 비롯해 'Black Nikka' '츠루鶴' 등을 출시했다. 정통 스카치위스키의 맛을 고집하는 그는 요이치를 스코틀랜드 하이랜드 같은 위스키로 만들 계획을 세웠다. 또 1969년 센다이 부근에 미야기코에서 스코틀랜드 로우랜드와 비슷한 기후조건을 찾아냈고, 그곳에서 스코틀랜드 로우랜드 풍의 위스키를 생산할 계획을 세웠다.

도리이 신지로와 다케쓰루 마사타카. 한 명은 남쪽에, 한 명은 북쪽에 자리를 잡았고 한 명은 일본인 입맛에 맞는 위스키를 만들기 위해 노력했고, 또 한 명은 정통 스카치위스키의 맛을 찾기 위해 노력했다. 그리고 그 둘의 노력과 경쟁으로 일본은 세계 위스키 5대 생산국이 되었고, 일본 위스키는 세계 무대에 당당히 오를 수 있었다.

위스키 공장 정보

야마자키 증류소 山崎蒸溜所
주소 : 大阪府三島郡島本町山崎5-2-1
전화번호 : 072-962-1423
홈페이지 : http://www.suntory.co.jp/factory/yamazaki
공장 견학 가능

하쿠슈 증류소 白州蒸溜所
주소 : 山梨県北杜市白州町鳥原2913-1
전화번호 : 0551-35-2211
홈페이지 : http://www.suntory.co.jp/factory/hakushu
공장 견학 가능

요이치 증류소 余市蒸溜所
주소 : 北海道余市町黒川町7丁目6
전화번호 : 0135-23-3131
홈페이지 : www.nikka.com/distilleries/yoichi
공장 견학 가능

미야기쿄 증류소 宮城峡蒸溜所
주소 : 宮城県仙台市青葉区ニッカ1番地
전화번호 : 022-395-2865
홈페이지 : www.nikka.com/distilleries/miyagikyo

일본 커피
: 독특한 카페 문화

유럽과 미국의 고급커피는 일반적으로 단일 품종의 원두로 만드는데,
일본은 주로 여러 가지 원두를 섞어 사용한다. 주인이나 바리스타가
자신의 취향과 품격에 가장 어울리는 맛을 찾아 혼합한다. 그래서 카
페마다 맛과 향이 다르고 또 똑같이 따라 할 수도 없다.

도쿄에서 살 때 나는 골목길을 걸어 다니며 골목에 있는 작은
카페에 앉아 시간 보내기를 아주 좋아했다. 미나미 아오야마南青山
에 있는 네즈미술관에 갈 때면 지하철 역에서 나와 항상 다이보大
坊카페—현재 휴업 중—에 앉아 있다 가곤 했다. 긴자 거리를 구
경할 때면 꼭 하치초메八町目에 있는 카페 드 람브르에 가서 커피
를 한잔 마셨다. 도쿄에서의 생활은 항상 바쁘고 시간에 쫓기는데
이렇게 카페에 앉아 잠시나마 여유로운 기분을 느낄 수 있었다.

교토의 카페도 정말 매력적이다. 긴카쿠지銀閣寺에서 나와 골목
몇 개를 지나서 산쪽으로 20분쯤 걸어가면, 커피 애호가들이 열

교토 요시다吉田 산기슭에 있는 카페 모안

광하는 비밀스런 카페 모안이 산속에 몸을 숨기고 있다. 수궈즈舒
國治[*]가 쓴《문외한의 교토》에서 '교토 카페에 앉아서'라는 장을 보
면 역사적인 건축물의 귀퉁이에 몸을 숨기고 있는 카페 여러 곳
을 언급하며, 이들 카페가 천년 고도 교토에 그윽한 커피 향을 더
하고 있다고 말한다.

일본 커피에는 특별한 게 있다

일본의 커피가 특별한가? 아니면 카페라는 공간이 특별한가?
나는 둘 다 특별하다고 생각한다. 나 말고도 일본의 커피와 커피
문화가 학술 연구 대상으로도 전혀 손색없을 만큼 특별하다고 생
각한 사람이 또 있다. 미국 보스턴 대학교의 인류학자 메리 화이
트Merry White는 저서《일본에서 커피 라이프Coffee Life in Japan》
에서 왜 일본의 커피에 흥미를 느꼈는지 말하면서 몇 가지 놀라
운 사실을 알려준다.

- 일본의 커피 소비량은 미국, 독일에 이어 세계 3위다.
- 현재 세계 최대 커피 수출국은 브라질인데, 이는 사실 19세기에 일본

---

[*] 타이완의 수필가이자 소설가. 여행과 음식에 관한 책을 다수 출간했다.

과 브라질이 함께 협력한 결과다.

– 일본인들이 보편적으로 커피를 마신 것은 스타벅스가 일본에 상륙하고 나서가 아니다. 일본인은 100여 년 전부터 이미 커피를 마시기 시작했고, 세계 최초의 프랜차이즈 카페는 일본에서 탄생했다.

– 100년 전에 카페는 이미 일본인의 중요한 생활 공간이었고, 이곳에서 일본 문화의 근대화가 촉진됐다.

앞의 이야기가 별로 놀랍지 않다면, 들려줄 이야기가 하나 더 있다.

일본 최초의 카페는 타이완과 관련이 있다!

일본 최초 카페를 연 정성공의 조카

반청복명反淸復明을 내세운 정성공鄭成功*의 동생 정영녕鄭永寧과 그 후손은 대대손손 일본 나가사키에서 통역사로 살았다. 그들 가문은 일본의 중국어 교육 발전에 상당히 중요한 역할을 했다.

18세기 중엽, 당시 막부의 통역사로 일하던 정영녕은 이미 세

---

* 1624~1662. 청나라에 저항하고 명나라 부흥운동을 전개한 인물로 일본 나가사키에서 출생했고 어머니는 일본인이라 전해진다. 특히 타이완을 점령하고 있던 네덜란드군을 물리친 공로로 중국, 특히 타이완에서는 영웅으로 꼽힌다.

상의 변화를 느끼며 중국어뿐 아니라 영어, 불어가 앞으로 중요한 언어가 될 것이라고 내다보았다. 그에게는 영방永邦, 영창永昌, 영경永慶이라는 아들 셋이 있었다. 정영방은 '시모노세키조약' 조인식에 통역관으로 참석해 타이완을 일본에 할양하는 내용을 통역했다. 정영창은 외교 사무를 했고, 정영경은 메이지 21년1888년 도쿄에 일본 최초의 카페인 '카히 다관可否 茶館'을 열었다.

정영경은 젊은 시절 미국 예일 대학교에서 공부했고, 나중에 런던에서 살다가 파리에서 불어도 배웠다. 젊은 그는 가업인 통역일을 이어받지 않고 다른 길을 택했다. 그는 서양에서 본 카페를 일본에 들여오기로 결심했다. 당시 서양의 카페는 수많은 지식인들이 모여 그곳에서 토론하며 새로운 지식을 나누는 문화 공간이었다. 정영경 역시 일본에 이런 새로운 문화 공간을 만들고 싶었다. 그는 카히 다관에 많은 책과 잡지를 놓아두었고, 서양의 신기한 물건도 전시했다. 하지만 안타깝게도 당시는 아직 그런 분위기가 만들어지기도 전인 데다 사업 수완도 별로 좋지 못해서 결국 파산하고 말았다.

일본인이 커피를 처음 접한 때는 정영경이 카페를 열었을 때보다 빨랐지만, 당시 커피는 음료가 아닌 약으로 사용되었다. 커피가 언제 일본에 전파되었는지에 관해 알 수 있는 가장 오래된 문자 기록이 18세기 말 네덜란드 상인의 사업 장부다. 처음에 사람들은 거기에 적힌 'Koffe'를 어떻게 읽고 번역할지 몰라서 카히

可否, 카히可非, 고츠히骨非, 고츠키骨喜, 카키加喜 등 여러 가지로 쓰다가 나중에 일본 한자 코히珈琲라 쓰기로 정했다. 중국어도 비슷한 방법을 택해 카페이咖啡라 쓰게 되었다.

정영경의 카페는 성공하지 못했지만 카히 다관이 망한 후 불과 10여 년 만에 카페가 유행했다. 19세기 말부터 20세기 초인 메이지 시대 말기부터 다이쇼 시대 초기에 도쿄, 요코하마, 오사카, 고베 등 서양 문화가 일찍 들어온 도시에서부터 카페가 우후죽순으로 생겨났다.

세계 최초의 카페 체인은 스타벅스가 아니다

세계 최초 프랜차이즈 카페는 시애틀에서 시작된 스타벅스가 아니다. 1909년 일본 1세대 브라질 이민자였던 미즈노류水野龍가 '카페 폴리스타Cafe Paulista'를 열었다. 당시 일본인은 주로 미국 서부 황무지 개간을 위해 떠났는데, 그들의 근면 성실함이 브라질 정부 귀에 들어갔고, 황무지 개간을 위해 일본인 이민자들을 적극적으로 받았다.

19세기 말, 대략 1만여 명의 일본인이 브라질로 떠났다. 당시 커피 가격이 대폭락했는데 미즈노류는 이 시대적 기회를 잡아 브라질 정부에 커피 원두를 일본에 수출하라고 제안했다. 브라질 정부로부터 공짜로 대량의 커피 원두를 얻은 그는 긴자 하치초메에 카페 폴리스타를 열었다. 커피 가격이 저렴해서 대학생과 젊은 지식인들이 많이 모여들었고, 그들은 이곳에서 여유 있게 커피도 마시고 토론도 하며 시간을 보냈다. 당시 카페는 남자만 모이는 곳이 아니었다. 서비스를 맡은 여종업원 말고도 교육을 받은 여성지식인, 여성문인들도 남자들과 함께 카페에서 커피를 마시고 이야기를 나누었다. 카페 폴리스타 2층에는 여성고객부가 있었는데, 일본 최초 여성주의 문학잡지 〈세이토青鞜〉—1911년 창간—의 편집회의가 자주 이곳에서 열렸다.

카페 폴리스타는 후에 일본 대도시에 분점을 내기 시작해 세계 최초의 프랜차이즈 카페가 되었다. 그리고 일본 시장에서 수요가 증가하면서 브라질 커피 원두 가격이 올라 브라질 커피 산업은 살길을 찾게 되었다. 동시에 일본은 안정적인 커피 원두 수입처를 확보했고, 브라질 커피 원두는 더 이상 서양 제국주의의 강압에 휘둘리지 않게 되었다.

제2차 세계대전 전에 커피를 마시는 인구가 급증하자 대규모 커피 회사들이 생겨났다. Key Coffee나 세계적으로 유명한 UCCUeshima Coffee Company 커피 등이 모두 1930년대에 설립되었다. UCC 커피는 1933년에 문을 열었으니 벌써 80년이 넘었다. 처음에 생두를 들여와 볶고 가공하다가 나중에는 생산에 직접 개입해 커피 재배 생산라인을 장악했다. 커피나무를 키우고 따는 과정과 관리까지 직접 관여했다. UCC 커피는 인스턴트 커피와 캔커피를 발명해 전 세계 사람들의 커피 마시는 방식에 큰 영향을 미쳤다.

일본인의 커피 문화는 전 국민적이라 할 수는 없지만 커피를 마시고 싶다면 누구나 쉽게 접할 수 있다. 자판기부터 수퍼에 이르기까지 언제든 원하면 쉽게 살 수 있다. 동아시아의 섬나라인 일본이 세계 3대 커피 소비시장이라니 놀랍기만 하다. 도쿄에만 8만여 개의 카페가 성업 중이란 사실만 봐도 일본인의 커피 사랑을 짐작할 수 있다.

좋은 카페의 기본 조건, 핸드드립 커피

어디서든 인스턴트 커피나 캔커피를 살 수 있지만 진짜 커피를 음미하는 것이라고 일본인은 생각하지 않는다. 일본인에게 인스턴트 커피나 캔커피는 정신을 차리거나 피곤할 때 마시는 음료일 뿐이다. 사무실에서 커피 머신 버튼을 누르거나 비슷한 커피 머신을 갖춘 스타벅스에서 마시는 커피는 품위도 분위기도 없다고 여긴다. 진짜 커피는 카페의 바리스타가 손수 내려주는 핸드드립 커피뿐이다.

한때 뉴욕이나 파리에서 이름 난 카페를 찾아다닌 적이 있다.

종류에 따라 다른 맛과 향을 가진 커피 원두

고풍스런 인테리어에 분위기와 정서 모두 특별했고, 사용하는 원두도 모두 뛰어난 품종이었다. 그런데 그런 카페에서도 대부분 버튼만 누르면 되는 에스프레소 기계를 사용해 커피를 내렸다. 하지만 도쿄나 교토의 이름난 카페에 가면 모두 핸드드립 커피다. 핸드드립 커피는 기계를 사용하지 않기 때문에 규격화된 제작 과정이 아니라 개별화, 개성화, 특수화, 독특한 스타일화를 추구한다. 카페 주인이나 바리스타가 선택한 원두를 자신만의 방식으로 볶고 내린다. 사이폰을 사용하든 필터를 사용하든 커피를 내리는 과정은 단순히 일로서가 아니라 주인의 지식과 열정을 녹여내는 시간이다. 커피에도 장인정신이 깃들어 있는 것이다.

장인과 커피, 커피와 장인

장인職人, 직인이라 읽지만 의미는 장인이다이란 두 글자는 일본 한자에서 왔지만, 최근에는 중국어에서도 종종 인용된다. 하지만 그것이 대표하는 정신은 일본 각계 업종에서 가장 분명하게 드러난다. 장인은 전문적인 기술을 가진 전통 수공예자라는 의미에서 점점 변화해 지금은 기술이 아주 뛰어난 사람을 일컫는다. 반드시 오랜 시간 동안 노력하고 단련하는 과정을 거쳐야 하고, 평생 완벽함을 추구하겠다는 태도를 잃지 않고, 끊임없이 자신의 기술을 연마하는 사람에게만 할 수 있는 말이 바로 장인정신이다.

장인은 단순한 기술자, 공예가도 아니고, 숙련된 수공예 기술자라고 설명하기에도 부족하다. 거기에 반드시 엄격하고 진지한 태도와 강한 자부심, 포기하지 않는 의지가 더해져야 한다. 예를 들어 유명한 만화《미스터 초밥왕將太の壽詞》을 보면 스시를 만드는 주방장이 식재료를 선택하고, 접시를 고르고, 손님의 요구에 진지하게 임하면서 온도와 계절 등 모든 부분을 섬세하게 계산하고 따지면서 만드는, 요리를 숭고한 경지에까지 올리는 모습을 볼 수 있다.

일본어 'こだわり고다와리'는 '마음에 둔다, 어떤 일에 빠져 있다 또는 끝까지 계속 한다'로 번역할 수 있다. 하지만 이것으로도 장인의 경지에 오르기에는 부족하다. 자신의 일에 대한 집념을 담아내는 장인의 태도가 무엇보다 중요하다. '마음'을 그 속에 녹여내고, 아주 작은 것까지 소중히 여기는 자세, 그것이 장인의 태도다.

일본 커피의 신, 세키쿠치 이치로

커피는 서양에서 전해졌지만 일본에 들어오고 나서, 일본인은 특유의 장인정신으로 커피를 대했다. 원두 선택에서 볶고 내리기까지 전 과정에 집중하고 각 과정 하나하나를 중요시했다. 그야말로 장인의 고다와리가 그대로 담겨 있다. 그중에서 긴자의 '카페 드 람브르'는 개업한 지 벌써 67년이나 된 곳인데 커피에 대한 장인정신이 돋보인다.

"나는 천성적으로 사물의 본질을 탐구하는 것을 좋아한다."

이 말은 철학자의 말이 아니라, 카페 드 람브르의 창업자인 세키쿠치 이치로關口 一郎의 말이다. 그가 말한 '사물'은 커피를 뜻한다. 1914년에 태어났으니 벌써 100세가 넘었다. 카페는 이제 외조카 린후지 히코林 不 二彦가 경영하지만 일주일에 며칠은 카페에 나와 앉아 있다. 일본 커피업계에서 그는 대체 불가능한 사람이다. 그에게 유일한 바람은 맛있는 커피 만들기다. "일생에 한 가지 바람밖에 없다." 그의 말이다.

세키쿠치 이치로는 와세다 대학교 공대를 졸업했다. 그는 공학에서 어떻게 사물의 본질을 파악하는지 배웠고, 열정과 진지한 태도로 자신만의 커피 맛을 창조했다.

세키쿠치 이치로가 커피에 얼마나 마음을 쓰는지는 생두에서부터 알 수 있다. 보통 서양의 커피애호가들은 수분 함량이 높고 맛과 향기가 풍부한 뉴크롭New crop, 햇원두을 좋아한다. 반면 일본인은 올드크롭Old crop, 묵은 원두을 좋아한다. 수확한 지 1년 이내의 생두를 뉴크롭이라 하고, 2년 이상 된 것을 올드크롭이라 하는데 올드크롭은 수분 함량이 적고 맛과 향기가 깔끔한 편이다.

카페 드 람브르에서는 올드크롭을 사용할 뿐만 아니라 오랜 시

카페 드 람브르

간 숙성 과정을 거치는 숙성 원두Aged Coffee도 사용한다. 생두를 숙성시키려면 습도와 온도를 정확히 맞춰 보관해야 하는데, 속도와 편리함을 추구하는 시대에 결코 쉬운 일은 아니다. 카페 드 람브르에서 숙성시키는 생두 중에는 무려 40년이 넘은 것도 있다. 긴 시간 숙성되는 동안 커피의 신맛과 수분이 날아가 오래 묵힌 술처럼 생두의 맛과 향이 중후해진다.

세키쿠치 이치로는 생두에 대한 열정 외에도 원두를 분쇄하는 과정도 세심하게 주의를 기울였다. 그는 원두를 갈 때마다 입자의 굵기가 달라져 커피 맛이 달라지는 것을 알았다. 커피를 내릴 때 여과망을 통과해 떨어질 정도로 커피가루가 작으면 커피 맛이 지나치게 쓰고 신맛이 난다는 사실도 발견했다. 이 문제를 해결하기 위해 공학을 배운 전공을 살려 보통 분쇄 방식과는 다른 회전원심력을 이용한 기계를 발명해 원하는 크기의 커피 입자를 얻었다.

하지만 그가 발명한 원두 분쇄기로 얻은 커피가루는 사이폰으로 커피를 추출할 수 없었다. 숙성된 원두를 사이폰으로 추출하면 원두가 가진 깊고 풍부한 맛을 살리기 어렵기 때문이다. 그래서 카페 드 람브르에서는 핸드드립 커피만 제공한다. 숙성 원두에 한 방울 한 방울 물을 떨어뜨려 원두 사이로 천천히 향기를 머금은 채 흘러내리는 짙은 호박 빛의 핸드드립 커피.

카페 드 람브르는 긴자 뒷골목에 자리 잡아 번화하고 혼잡한 긴자 중심부와는 사뭇 분위기가 달라서—긴자 중심부는 낮에는 명품가게를 구경하는 사람들로, 밤에는 불야성을 이루는 술집 때문에 사람들로 항상 시끌벅적하다—한층 더 특별하게 느껴진다. 카페 인테리어는 누구든 쉽게 커피를 떠올릴 수 있게 되어 있다. 짙은 커피색의 나무 문, 향수에 젖어드는 복고풍의 인테리어, 선명한 색깔과 기하학적 무늬의 타일이 조화로운 나무 질감의 벽⋯. 카페의 공간은 긴 테이블Bar 자리와 개별 공간으로 나뉘는데 진한 붉은색의 소파가 나무 테이블과 어우러져 따뜻한 느낌을 주고, 전체적으로 편안하고 우아한 분위기다.

간판에 '고히 다케노텐珈琲 だけの店'이라 쓰여 있는데, 'Coffee only, own roast, and hand drip' 즉 오로지 커피를 직접 볶아 핸드드립으로 제공한다는 뜻이다. 이런 문구가 아마 일본 카페와 서양 카페의 차이점일 것이다. 서양의 유명한 카페는 대부분 단일 커피 품종으로 커피를 내리는데, 일본의 경우 바리스타나 주인이 직접 원두를 섞어 내리는 혼합 커피가 많다. 카페마다 주인이 자신과 자신의 가게에 가장 적합한 맛과 향을 내는 커피를 찾기 위해 혼합방식을 선택하기 때문에 카페마다 맛과 향이 다르고 똑같이 만들 수도 없다.

핸드드립 커피는 카페 드 람브르를 대표한다. 주문 받으면 그때 원두를 갈아서 커피를 내리는 방식을 고집한다. 미리 갈아놓으면 편리할 테지만 그러지 않는다. 갈아놓은 원두가루는 공기와 습기로 인해 쉽게 맛과 향이 변하기 때문이다. 이곳에는 한 번에 딱

한 사람의 손님을 위해 원두를 준비하고, 그를 위해 물을 끓이고, 그를 위해 한 방울 한 방울 커피를 내린다. 새로운 것과 속도와 편리함을 추구하는 시대에 이런 커피는 무엇보다 소중하다. 지금의 주인인 린후지 히코 씨가 드립포트를 들고 섬세하고 정확하게 물의 양을 조절하면서 완전히 몰입해서 커피를 내리는 모습을 보면 자연스럽게 장인정신이 떠오른다. 그는 세키쿠치 이치로의 뜻을 이어받아 커피를 마시는 모든 사람이 자신이 쏟은 열정과 마음을 느낄 수 있길 바라며 커피를 내린다.

일본의 독특한 카페

일본에도 균일화, 보편화, 기계화된 스타벅스 같은 카페가 있지만 독특한 분위기로 주인의 개성과 기질이 녹아 있는 커피를 파는 카페도 많다. 각자 좋아하는 분위기나 맛에 따라 카페를 선택한다. 어떤 카페의 커피는 강렬한 음악처럼 강하고, 어떤 곳은 풍부하고 따뜻한 선율처럼 부드럽다. 커피는 사용하는 원두의 종류와 숙성 기간에 따라 맛이 다르다.

일본에 처음 카페가 전해졌을 때 카페는 서양의 새롭고 신기한 물건을 알리는 장소였다. 또한 독일 철학자 하버마스Jurgen Habermas가 말한 '제3의 공간'으로, 학생과 지식인들이 모여 이것저것 세상 돌아가는 이야기를 하는 곳이었다. 100년이 넘는 발전 과정을 거치면서 카페의 기능도 달라졌다. 직장인들이 출근 전 마음을 가라앉히기도 하고, 주부들이 잠시 집안일에서 벗어나 여유를 누리기도 하고, 남자들의 환상을 이루기도 하고—아름다운 여종업원들이 가져다주는 커피—책이나 잡지, 만화를 보는 작은 도서관이 되기도 한다.

카페에서 파는 것은 단순히 커피만은 아니다. 집과 직장 외의 공간으로 이곳에서 우리는 쉬고 기다리고 잠깐의 여유를 갖는다.

<u>제3의 공간</u>

집과 일하는 곳 외의 장소로 생활의 완충지대이다. 카페 외에 술집, 도서관도 모두 제3의 공간에 속한다.

추천 카페

◇◇◇◇◇◇◇◇◇

카페 드 람브르cafe de l'ambre
주소 : 東京都中央区銀座8-10-15
전화번호 : 03-3571-1551

주이치보우코히텐十一房咖啡
주소 : 東京都中央区銀座2-2-19
전화번호 : 03-3564-3176

카페 바흐ヵフェ　バッハ
주소 : 東京都台東区日本堤1-23-9
전화번호 : 03-3875-2669
홈페이지 : www.bach-kaffee.co.jp
매주 금요일 휴무

츠타 카페蔦咖啡
주소 : 東京都港区南青山5-11-20
전화번호 : 03-3498-6888
매주 월요일 휴무

기타야마 카페北山咖啡店
주소 : 東京都台東区下谷1-5-1
전화번호 : 03-3844-2822
홈페이지 : www.kitayamacoffee.com
매주 월요일 휴무

모안 茂庵

주소 : 京都市左京区吉田神楽岡町8

전화번호 : 075-761-2100

매주 월요일 휴무

야나기케쓰도 柳月堂

주소 : 京都市左京区田中下柳町5-1

전화번호 : 075-781-5162

국경일 휴무

스즈카 카페 靜香咖啡, Shizuka

주소 : 京都市上京区今出川通千本西入南上善寺町164

전화번호 : 075-461-5323

매월 둘째, 넷째 일요일 휴무

2장

전통 음식, 현대와 만나다

日本飲食

간장
: 과거이자 현재진행형

간사이 지역에서 간장의 전통은 쇼도시마에서 찾을 수 있고, 간토 지역은 노다의 깃코만에서 찾을 수 있다. 전자는 전통을 지켜 옛방식 그대로 만들고, 후자는 전통 방식을 현대적으로 개량했다.

오늘날 일본의 대표적 간장醬油, しょうゆ 생산지는 대부분 에도 시대부터 내려온 곳이다. 일본 간사이 지역은 쇼도시마小豆島에서 간장의 전통을 찾을 수 있다. 간토 지역은 치바 현 노다野田의 깃코만龜甲萬에서 찾을 수 있다. 이 두 지역 간장의 가장 큰 차이는 전자는 연한 맛薄口, 우스쿠치이고, 후자는 진한 맛濃口, 고이쿠치이다.

쌀밥을 주식으로 하는 일본 음식 문화에서 미소와 간장은 맛을 내는 영혼이라 할 수 있다. 미소와 간장 모두 발효를 거치는 조미료이며, 둘 다 안토도산 시대오다 노부나가와 도요토미 히데요시 시대, 1573~1603년에 만들어졌다. 원래 장ひしお, 히시오이라는 조미료는

식재료에 소금을 치고 발효를 거친 것을 통칭한다. 어장魚醬, 초장草醬, 곡장穀醬처럼 생선, 고기, 채소, 곡식류도 장이라 할 수 있다. 그리고 노란콩, 쌀, 보리를 발효해서 만든 간장은 가나야마지金山寺에서 미소를 만들 때 국물을 개량한 것으로, 이것이 최초의 간장이라고 한다. 이 가나야마지 미소는 가마쿠라 시대 중국 송나라로 수행을 갔던 각심 승려가 중국 된장을 가지고 돌아와 전해진 것이 기원이라고 한다.

16세기 말 일본 사전인 《절용집節用集》에 간장이 기재되어 있는데, 당시 가격이 쌀보다 서너 배는 비싸서 민간에서 광범위하게 쓰이지는 않았다고 적혀 있다. 에도 시대 중기 이후에야 민간에 보급되어 국이나 전골 등 일상적인 음식에 언제든 사용할 수 있는 조미료가 되었다. 간토 지역에서는 간장을 소바와 함께 먹었고, 간사이 지역에서는 우동과 함께 먹었다.

전통 양조법을 지키는 쇼도시마

일본 혼슈와 시코쿠 사이를 동서로 가르는 세토나이카이瀬戸内海에는 1,000여 개의 크고 작은 섬들이 있어 경치가 아름답고 사계절 내내 살기 좋아 쇼와 9년 국립공원으로 지정되었다. 이곳의 섬들은 예나 지금이나 해상 교통이 발달했다. 특히 혼슈와 시코쿠

사이에 다리가 생기기 전에는 물자 운송이나 사람의 이동이 모두 배를 통해 이루어졌다. 그중에서 오사카만과 규슈를 오가는 육로 교통이 아주 불편해서 오래전에는 수도에 보고하러 가야 하는 다이묘나 사무라이, 농산물을 팔러 가는 상인들, 지역 특산품을 진상할 때 모두 세토나이카이의 해상 교통에 의존했다.

세토나이카이는 일본 근대 이전 해상 교통의 대동맥이었다. 매일 오가는 선박의 숫자가 엄청났기 때문에 한탕을 바라는 해적들도 자주 출몰했다. 오다 노부나가와 도요토미 히데요시는 이런 해적들을 소탕했고, 도쿠가와 이에야스는 일본을 통일한 뒤 무력 금지령을 내려 해적의 재출몰을 막았다.

도쿠가와 막부는 쇼도시마를 막부 직속 관할 영지로 편입시켰다. 섬에는 경작할 땅은 협소했지만 천혜의 교통 요지인 점을 이용해서 원재료를 이곳으로 가져와 가공한 후에 다시 다른 곳에 팔기에는 유리했다. 간장 제조업은 이렇게 400여 년 전부터 이 섬에 뿌리를 내렸다. 섬이지만 건조한 기후와 깨끗한 공기는 간장을 발효시킬 때 생기는 국균麴菌이 자라는 데 최적의 조건이었다. 또한 간장을 제조하는 데 필요한 제염업도 함께 발전했다.

낮은 구릉이 많은 쇼도시마 면적은 153.3제곱킬로미터로 타이베이의 절반에 불과하지만서울의 4분의 1 정도 한창 때는 약 400여 개의 간장 제조장이 있었다. 현재는 약 20여 개가 남아 있는데 모두 100년이 넘는 역사를 자랑한다. 섬 동남쪽 연안에 간장 제조장들이 모여 있는 곳을 '간장의 고향'이라 부른다. 이 중에서 규모가 비교적 큰 곳이 '마루킨丸金간장'으로, 현대적인 제조 설비시설을 갖추고 있다. 예약을 하면 참관할 수도 있다. 하지만 보다 더 눈여겨볼 것은 옛날 방식으로 만드는 간장이다.

전통 방식을 고수하는 야마로쿠간장

전통 방식으로 간장을 만드는 과정은 결코 쉽지 않다. 그래서 현대적 간장 제조기술이 도입되었을 때 쇼도시마의 일부 간장 제조 공장들은 바로 컴퓨터 자동화 설비시설을 갖추고 간장 발효통을 스테인리스로 바꾸는 등 제조 공정을 현대화, 기계화해서 간장을 만들기 시작했다.

하지만 다음에 소개할 야마로쿠山六, ヤマロク간장은 비록 어렵고 힘들지만 전통 방식을 여전히 고수한다. 공장은 골목 모퉁이 끝에 있는 몇 채의 일본식 건물 안에 있다. 이곳은 공장이면서 사장인 야마로쿠 가족의 생활 공간이라 가내공장 같은 느낌이다. 대문은 어른 키보다 훨씬 큰 삼나무를 통째로 잘라 만들었는데. 마치 방문객에게 '이곳은 다른 현대화 간장공장과 달리 삼나무통에 간장을 숙성해 만든다'고 알려주는 듯하다.

안내하는 사람을 따라 간장 만드는 곳으로 들어가 보니, 직경

2미터 30센티미터에 높이 2미터에 달하는 커다란 나무통이 있었다. 야마로쿠간장 공장에는 이런 나무통이 총 60여 개가 있다고 한다. 150년 넘게 간장을 만들어왔으니 나무통과 나무로 만든 건물에는 간장을 발효시키는 효모가 세월처럼 한 층 한 층 두텁게 쌓여 있는 듯했다.

야마로쿠에서 간장을 만드는 데는 최소 1년에서 2년의 시간이 필요하다. 보통 12월에 노란콩과 밀, 소금 등의 재료를 삼나무통에 넣는다. 5월 말 날씨가 점점 더워지면 통속의 재료들은 발효되기 시작한다. 한여름, 날씨가 뜨거워지면 통속에서 부글부글 발효되는 소리를 들을 수 있다고 한다. 야마로쿠에서 가장 유명한 간장은 츠루류鶴醬로, 2년간 발효시킨 간장에 처음의 재료를 다시 넣고 같은 방법으로 2년 더 발효시켜 총 4년에 걸쳐 만들어진 것이다.

150여 년 역사를 지닌 야마로쿠간장의 현재 사장 야마모토 가노에토山本庚夫는 5대 경영자이다. 그는 쇼도시마에서 태어나 자랐고 대학교에 들어가서야 이곳을 떠나 오사카와 도쿄의 상사에서 한동안 일을 했다. 그런 후 다시 고향으로 돌아와 가업을 잇고 있다. 그는 나무통에서 숙성시키는 간장이 이제 일본에서도 그리 많지 않다는 것을 알고 있다. 이런 자연발효 간장을 만들기 위해서는 상당히 오랜 시간이 필요한데, 속도와 편리함을 중시하는 현대 사회에서는 특히 더 값진 것이라 할 수 있다.

야마로쿠간장 공장

다행히 끈기와 열정이 있는 일본 장인 덕분에 우리는 간장의 자연발효 과정을 이해하고 깊고 풍부한 간장을 맛볼 수 있다. 쇼도시마에서 간장은 과거이자 동시에 현재진행형 역사다. 음식 전통이 현대로 이어지면서 사람들의 미각을 깨우고 있다. 음식의 전통을 잘 지켜낼 때 진정한 맛을 이어갈 수 있다.

쇼도시마와 올리브

쇼도시마는 간장을 만드는 데도 적합하지만 올리브가 자라는 데도 맞춤한 곳이다. 쇼도시마는 메이지 유신 후 외국에서 몇 가지를 수입했는데 그중에 올리브도 있었다. 그때부터 쇼도시마라는 이름을 얻게 되었다. 일본어로 쇼도小豆는 팥이지만, 여기 쇼도시마에서 쇼도는 올리브를 뜻한다.

올리브가 일본에 처음 전해진 때는 16세기 말로, 선교사가 나무를 가져와 심었다고 한다. 메이지 유신 이후 처음으로 세계박람회에 참가한 일본 대표단이 파리에서 올리브 나무 묘목을 가져왔다. 당시 일본에서는 실용성이 떨어져서인지 올리브를 돌보는 사람이 없어서 올리브 나무 중 일부는 꽃도 피지 않고 열매도 맺지 못했다.

일본은 1905년 러일전쟁에서 승리한 뒤 일본해 연안에 대규모 어장을 얻었고, 이전에는 접해보지 못했던 정어리가 많이 잡히자 당시 발전하기 시작했던 통조림 산업을 이용해 정어리통조림을 만들기 시작했다. 그런데 정어리를 신선하게 보관하려면 올리브 오일이 필요하자, 메이지 정부는 1908년 기후가 적합한 세 곳을 선정해 올리브 나무를 키웠다. 바로 쇼도시마, 미에 현三重縣, 가고시마이다. 이 세 곳 중에서도 쇼도시마에서 올리브가 가장 잘 자라 나중에는 일본 최대의 올리브 나무 번식장이 되었다. 아마 이곳의 기후가 지중해와 비슷하기 때문일 것이다.

올리브 나무가 열매를 아무리 많이 맺는다 해도 더 중요한 것은 한층 발전된 착유 방법을 찾는 것이다. 처음에는 간장을 만드는 기계를 활용하거나 마로 만든 보자기에 올리브를 싸서 착유했다. 여러 실험을 통해 최선의 착유 방법을 찾았고 지금은 자체 생산하는 올리브 외에 올리브 오일을 이용한 화장품 산업에도 뛰어들었다. 그리고 올리브 오일과 서양 문명의 중요 발원지인 그리스 밀로스섬과 자매결연을 맺었다. 올리브 나무와 꽃은 쇼도시마가 있는 가가와 현을 상징하는 나무와 꽃이 되었다.

세계 속의 깃코만간장

《하버드 상업 평론》은 1990년대 경영 관리학 분야에서 중요한 책 두 권을 선정했다. 《좋은 기업을 넘어 위대한 기업으로Good to Great》는 그중 하나로 짐 콜린스와 제리 포라스가 6년간의 연구를 통해 쓴 책이다. 이 책에는 세계 500대 기업 중에서 50년대 이전에 설립해 혹독한 시대를 이겨내고 살벌한 경쟁 속에서 살아남은 기업 18곳을 소개하고 있다.

일본에는 100년 넘는 기업이 2만여 개나 있고, 그중 90%는 생활필수품과 관련 있다. 음식 관련 기업이 가장 많아 식당, 조미료, 음료, 장아찌, 디저트 등을 생산하는데 그중 근대 일본인의 음식 전통과 가장 관계가 깊은 기업이 깃코만간장이다.

도요토미 히데요시와
깃코만의 관계

도요토미 히데요시, 도쿠가와 이에야스가 깃코만과 관계가 있다고 한다. 이 이야기는 일본 전국 시대 군웅들이 천하를 얻기 위해 경쟁하던 때로 거슬러 올라간다. 도요토미 히데요시가 죽고 나자, 군신들 간에 갈등이 생겼다. 도쿠가와 이에야스는 도요토미 히데요시가 죽자 히데요시의 아들 히데요리를 지지하겠다고 맹세했지만, 자신의 적수가 못 되는 어린 계승자를 보자 천하를 얻겠다는 욕망에 점차 사로잡혔다. 히데요리가 오사카성 전투에서 패하자 도요토미 가문의 무사들은 모두 할복자살했다. 그 무사 중한 명이었던 마키 요리노리眞木 賴德도 오사카성이 함락될 때 주군 도요토미 히데요리를 따라 죽었다. 하지만 대를 잇기 위해 그의 아내 마키 시게류眞木 茂는 아들을 데리고 도망쳤는데 그녀가 바로 깃코만의 1대 창업자다.

도쿠가와 이에야스 정권은 히데요시 잔당들의 완강한 저항을 우려해 장장 15년 동안 그들을 쫓아서 잡아들였다. 마키 시게류는 아들 헤사부로兵三郎를 데리고 오사카에서 동쪽으로 도망쳐 마지막으로 에도성 동북쪽의 노다에 정착해 성씨를 모기茂木로 바꿨다.

당시 문헌을 보면, 1661년 노다 지역에 양조상인으로 다카나시高梨 가와 모기茂木 가가 있었는데, 다카나시 가는 간장을 제조했고, 모기 가는 미소를 제조했다. 미소와 간장을 만드는 과정은 비슷하다. 다만 미소는 삶아 으깬 콩에 소금과 물을 더해 만들고, 간장은 볶은 밀을 부수어 발효시키는 과정이 더해지는 것이 다르다. 그런데 그들은 왜 하필이면 노다에서 장을 만들게 됐을까?

도쿠가와 이에야스가 에도에 도읍을 정한 뒤, 주변 농촌에서 수확한 쌀은 대부분 도성의 제후와 무사계급에게 제공되었다. 노다의 농민들은 평소에는 쌀농사를 짓고, 겨울철 농한기에는 간장을 만들어 가욋돈을 벌었다. 노다는 도네 강이 흐르고 있어 에도로 물자를 운송하는 데 아주 편리했다. 지금의 도쿄에서는 수로의 흔적을 찾을 수 없지만 기록에 따르면 에도성은 사실은 물의 도시로, 크고 작은 하천이 종횡으로 교차하며 조밀한 수로 교통망이 형성되어 있었다. 당시 편리한 수로 교통은 노다 지역의 간장 생산에 가장 큰 장점이 되었다.

하지만 이곳에서 간장 제조업이 번성하게 된 중요한 이유가 하나 더 있다. 바로 에도 시대에 탄생한 일본 요리 때문이다. 에도 시대 음식 맛의 기본은 모두 간장에 있었다.

우나쥬, 소바, 덴푸라엔 간장이 필수

'에도의 4대 음식'으로 불리는 우나쥬, 소바, 덴푸라, 스시는 모두 간장이 필요하다. 장어는 간장을 기본으로 만든 소스를 발라서 굽고, 소바와 덴푸라, 스시를 찍어 먹는 장 역시 간장으로 만든다. 그리고 오뎅탕도 간장과 다시마, 가다랑어포를 넣고 끓인 국물이 필요하다.

이전의 간장에 비해, 에도 사람들은 색이 짙은 진한 맛의 간장을 좋아했다. 에도가 신흥 도시라서 장군과 무사계급 외에 초창기 이곳에서 생활하던 백성은 대부분 노동자계층으로 남성이 절대적으로 많았다. 진한 간장을 넣은 음식은 맛이 강해서 육체노동자에게 필요한 염분을 제공하고, 입맛도 만족시킬 수 있었다.

당시의 기록을 보면 18세기 말, 19세기 초까지는 대규모로 간장을 생산하는 곳이 없었다. 노다 지역의 100여 곳에 달하는 간장공장은 여전히 가내 수공업 수준에 머물고 있었다. 에도의 인구가 늘어나면서—18세기 후기에 100만 명에 육박했다—당시 세계 최대 도시 중 하나가 되자, 시장의 수요를 감당하기 위해서 대규모 간장 생산이 필요해졌다.

우타카와 히로시케歌川廣重의 우키요에浮世繪, 서민계층을 기반으로 발달한 풍속화〈하총국장유제조도下総国醤油製造 之図〉를 보면 당시 간장 제조 과정이 구체적으로 묘사되어 있다. 하총국下総国은 바로 노다

일대를 말하는데 에도 시대 이후부터 간토 지역에서 진한 간장을 생산하는 중요 지역이었다.

깃코만의 성공과 세계화의 길

원래 모든 양조장마다 각각의 제조 과정과 독특한 비법이 있지만 대량 생산을 하려면 규격화와 표준화된 제작 과정이 필요하다. 노다 지역의 간장공장은 시장 수요에 맞추기 위해 통합과 조정을 시작했다. 모기 가와 다카나시 가는 데릴사위를 들여 친척이 되는 방식으로 먼저 합병을 진행했고, 이어서 사업 범위를 넓혀갔다.

19세기 중기, 집안의 주인이던 모기 자혜이지茂木左平治는 '깃코만'이란 상표를 막부에 등록해, 고객들에게 상품 이름을 알렸다. 육각형 모양 중간에 만萬을 써넣은 이 상표는 이제 세계적으로도 유명해졌다. 막부 시대 말기에 깃코만은 이미 마케팅 전략을 알고 있었던 셈이다. 막부가 개항 후 일본이 현대화의 길을 걸으면서 깃코만 역시 빠르게 구조조정을 해서 경영 전략과 판매 방식에 변화를 주었다. 1872년 암스테르담 세계박람회를 통해 깃코만은 유럽에 상륙했고, 그 후 10여 년간 미국과 유럽에 상표권 등록을 진행했다.

경쟁력을 높이기 위해 노다 지역의 12개 간장공장은 조합을 결성해 노다장유양조협회를 조직했다. 이 조직을 통해 원재료를 대량 구매하고, 제조 과정 및 규범을 정립하고, 돈을 모아 연구소를 세워 양조 방식의 개선점을 함께 연구했다. 또한 노다 지역에 산재해 있던 간장공장들은 '깃코만'이란 이름으로 판매했고, 품질에 변화가 없다는 전제하에 과학기술을 도입하여 대규모 생산을 시작했다.

노다 지역에 철로 부설 역시 깃코만이 투자해서 이뤄졌다. 깃코만은 새로운 시대에 수로 운송은 뒤떨어진다고 판단하고 교통을 개선해야 운송 문제가 해결될 것이라고 생각했다. 큰돈을 번 깃코만은 지역 발전에 많이 투자했는데, 특히 수질과 관계된 분야에 관심을 두었다. 좋은 물이 있어야 좋은 간장을 만들 수 있다는 믿음 때문이었다.

간장을 만들 때 효모, 발효, 정제, 이 세 과정이 가장 중요하다. 효모를 만들고 정제하는 과정은 자동화를 통해 시간을 단축할 수 있다. 그러나 발효 과정은 여전히 수개월이 필요했다. 오랜 시간 발효해야 간장 특유의 맛과 향이 나기 때문에 이 과정은 절대 단축시킬 수 없다. 깃코만은 식품을 만들 때 속도를 추구하면 원래 가지고 있던 맛과 향을 파괴한다고 보았다. 그래서 인공합성으로 만든 간장 역시 우리 몸에 좋지 않은 영향을 준다고 생각했다. 자연발효로 만든 달콤하고 순수한 간장만이 성공의 기본이요, 지속 가능한 경영의 가장 큰 밑천이라 믿었다.

서양에서 아시아 음식을 만들 때 대부분 깃코만간장을 사용한다. 시장 점유율은 50%가 넘고 다른 간장을 쓰더라도 깃코만이 디자인한 간장병을 사용한다. 산업제품 디자이너 에쿠안 겐지榮久庵 憲司가 1961년에 디자인한 깃코만 간장병은 둥그스름한 유선형으로 디자인계의 고전으로 여겨진다. 담겨 있는 간장 색을 그대로 드러내주는 투명한 유리병에 붉은색의 원형 플라스틱 뚜껑이 더해져 '만자萬字 간장통'의 간장병이라 불리며 전후 일본 산업 디자인계를 자극했다.

에쿠안 겐지가 깃코만 간장병을 디자인해 출시한 그해, 깃코만 가족의 젊은 세대인 모기 유자부로茂木 友三郎는 전후 일본인 최초로 미국 컬럼비아 대학교에서 기업관리학 석사학위를 받았다. 그는 깃코만 가계 출신이지만 깃코만은 아주 복잡한 계승절차를 거쳐 관리자를 결정한다. 여덟 개의 가계에서 한 대에 한 가계당 단한 명의 남자만 회사에 입사할 수 있고, 관리자 단계나 이사회에 들어갈 수 있느냐는 오로지 본인의 노력과 실력으로 결정된다.

모기 유자부로는 컬럼비아 대학교에서 공부할 때, 남는 시간엔 수퍼마켓에서 아르바이트를 했고, 동쪽에서 서쪽으로 여행을 하며 북미 시장을 관찰했다. 당시 미국에서 간장은 일본인과 중국인 사회에서만 소비되었고 미국인들은 이 새까만 액체를 어디에 사용하는지 전혀 몰랐다. 젊은 모기 유자부로는 미국에 간장공장을 세울 꿈을 가졌는데 이를 위해서는 우선 깃코만 내부를 설득하고, 또 미국인들에게 어떻게 간장을 알릴 것인가 하는 문제를 해결해야 했다. 그는 공장을 세울 지역 주민들을 수도 없이 찾아가 대량의 현지 콩과 밀을 수매하고, 현지인을 고용하겠다고 설득했으며, 또 깃코만간장의 자연의 맛과 향을 재차 설명했다. 마침내 지역 주민들은 먼 동양에서 온 식품 기업을 환영하며 받아들이게 되었다.

깃코만의 이야기는 음식의 전통과 현대화의 모범일 뿐 아니라 기업 관리의 지표를 보여준다. 마키 시게루에서 모기 유자부로까지 깃코만기업의 역사는 개척자의 역사다.

일본의 유명 간장기업

야마로쿠간장山六醬油
주소 : 香川県小豆郡小豆島町安田甲1607
전화번호 : 0879-82-0666
홈페이지 : http://yama-roku.net

마루킨간장丸金醬油
주소 : 香川県小豆郡小豆島町苗羽甲1850
전화번호 : 0879-82-0047
홈페이지 : www.moritakk.com/know_enjoy/shoyukan

깃코만간장龜甲萬
주소 : 千葉県野田市野田110 キッコーマン食品野田工場内
전화번호 : 04-7123-5136
홈페이지 : www.kikkoman.co.jp/enjoys/factory/noda.html

두부
: 본연의 맛 그대로

두부는 중국 요리에 자주 쓰이지만 손으로 만드는 전통과 심지어 진짜
맛은 일본에서 찾을 수 있다.

내 기억에 타이완에서 처음 먹은 두부는 수퍼마켓에서 파는 플
라스틱 통에 담긴 공장 두부였다. 한참이 지나서야 손으로 직접
만든 두부가 있다는 것을 알았다. 그런데 일본 드라마를 보면 사
람들이 집 근처 두부가게에서 그날 만든 손두부를 사가는 장면이
종종 나왔다. 일본의 손두부가게는 편의점 수보다는 적지만 가정
주부가 손쉽게 살 수 있는 곳에 있다.

두부가게마다 사용하는 노란 콩의 품종은 다르지만 대부분 일
본 국내산을 사용한다. 돌로 만든 맷돌이나 절구에 콩을 넣고 입
자가 둥글게 간다. 입자가 둥글수록 훨씬 풍부하고 고소한 향을

낸다기계로 간 콩의 입자는 뾰족하고 날카롭다. 그런 후 잘 갈린 콩을 뜨거운 물에 넣고 조심조심 쉬지 않고 젓는다.[*] 그다음 촘촘한 면포와 그렇지 않은 면포를 같이 겹쳐놓고 거른다. 걸러진 액체가 두유_콩물다. 처음 거른 물을 일본어로 이치방一番이라 하고, 두 번째 거른 물을 니방二番이라 한다. 연두부는 전자를 사용하고, 모두부는 후자를 사용해 만든다.

손두부에 대한 대단한 고집

《도쿄 장인들의 생활東京下町職人生活》에 따르면, 두유를 응고시키려면 반드시 간수가 필요하다. 간수를 붓는 속도와 방법에 따라 두부의 단단함과 질감에 미묘한 차이가 생긴다. 응고시킨 다음에는 반드시 남는 수분을 짜내야 한다. 둥근 구멍이 가득 나 있는 상자 위에 면포를 깔고, 위에 대나무발을 놓은 후 상자 위에 묵직한 것을 올리면 천천히 물이 빠지면서 두부가 만들어진다. 두부의 단단한 정도와 질감에 따라 물을 빼는 속도와 시간을 결정한다. 두부를 만드는 모든 과정은 오랫동안 쌓인 경험에 따르며, 기후와 콩의 보존상태, 수분 함유 정도에 따라 적절하게 조절한다.

---

[*] 일본은 간 콩을 끓여 만드는 온비지 방식으로 두부를 만들고, 한국은 갈아서 내린 물을 끓여 만드는 생비지 방식으로 두부를 만든다.

두부가게는 일하는 시간이 대단히 길다. 주인은 새벽 4, 5시면 준비를 하고, 해가 지고 나서야 문을 닫는다. 빠른 속도와 편리를 추구하는 시대에 일본인들은 여전히 이렇게 느리고 복잡한 준비와 제작 과정을 거쳐 두부를 만든다는 사실이 그저 놀랍기만 하다.

두부는 바로 제철의 맛

매일 두부를 사서 먹어도 그날그날 풍미와 느끼는 감정이 똑같을 수 없다. 공장에서 대량생산으로 만들어지는 두부와 비교할 수 없다는 것도 두말하면 잔소리다. 콩의 산지와 수질, 기후의 차이는 두부 맛에 영향을 미친다. 두부 장인들은 두부를 준旬, 제철의 맛이라고 한다.

준은 음식의 맛이 가장 좋은 시기를 말한다…. 과연 제철 콩을 사용하면 맛있는 두부를 만들 수 있을까? 10월, 11월, 12월에는 해콩으로 두부를 만들어 확실히 광채가 돈다…. 1년 묵힌 콩과 비교하면 확실히 좋지만 이때 만든 두부는 약간의 점성이 있다…. 새로 수확한 콩을 보관해 겨울을 지나 2월이 되면 콩의 수분이 사라진다. 이때의 콩은 맛이 굉장히 진하다. 때문에 2, 3월에 만든 두부는 응결도가 좋아 씹는 맛이 좋다.

— 《도쿄 장인들의 생활東京下町職人生活》 중에서

중국에서 일본으로 전해진 두부

중국에서는 이미 사라졌는데 일본에는 여전히 전해지는 고서나 문화, 사상처럼 두부는 중국에서 일본으로 전해졌지만 진짜 두부의 맛과 전통은 일본에서 찾을 수 있다.

두부는 중국 한나라 때 회남왕淮南王의 유안劉安이 처음 만들었다고 전해진다. 현존하는 가장 오랜 기록으로는 송나라 초기 도곡陶穀이 쓴《청이록淸異錄》에 다음과 같이 쓰여 있다.

근면한 백성들은 몸을 정결히 하기 위해 고기를 먹지 않았다. 또 두부가게가 여러 곳 있었다.

또 "그곳 사람들은 두부를 '소재양小宰羊'이라 불렀다"라는 내용도 있다. 기록으로 보면 두부는 송나라 시대나 오나라 시대에 이미 민간에 널리 전해지고 있음을 알 수 있다. 또 당시 사람들이 두부를 '양'이라 부른 것을 보면 두부의 높은 영양적 가치를 발견해 고기 대체품으로 먹었다는 것을 알 수 있다.

사찰에서 민간으로 퍼지기까지

두부는 특히 출가한 사람에게 부족한 단백질과 영양분을 보충할 수 있는 식재료여서 점차 사찰에서 중요한 음식이 되었다. 일본 사료 중 가장 오래된 기록인 1183년 카스가春日신사의 공양품 기록에 '唐符당부'라고 쓴 두부에 관한 내용이 적혀 있다. 唐符는 일본어로 토푸to fu로 발음하는데 두부와 발음이 비슷하다. 송나라 시대 일본의 많은 승려들이 불법을 배우기 위해 송나라로 건너갔는데, 어쩌면 이때 두부가 일본에 전해졌는지도 모른다.

에도 시대, 교토의 사찰 주변에는 뛰어난 맛을 자랑하는 두부가 많이 만들어졌다. 원래는 사찰에서 먹는 음식이었던 두부는 그 담백한 맛 때문에 일본 요리 정신과 맞아떨어졌을 것이다. 사찰 인근에 살던 백성들은 두부에 관심을 갖기 시작했고 점차 일반 백성들의 밥상에도 두부가 올라왔다. 에도 시대의 《두부백진豆腐百珍》에는 갖가지 두부 만드는 방법과 품평까지 실려 있다.

음식 문화의 차이에 따라 두부를 먹는 방법에도 차이가 있다. 중국의 다양한 두부 요리 중 마파두부麻婆豆腐와 암게의 알을 넣어 만든 시에황두부蟹黃豆腐가 유명하다. 둘 다 두부의 부드러운 식감을 잘 살린 음식으로 두부의 향이나 색에는 크게 신경 쓰지 않는다. 또 둘 다 소스 맛이 강해서 콩의 순수한 맛과 향을 느끼기 어렵다.

두부 본연의 맛을 느끼려면 유도후湯豆腐, 두부나베가 제격이다. 다시마 국물에 두부와 갖가지 채소를 익혀 간장에 찍어 먹는데, 특히 겨울이면 꼭 생각나는 음식이다. 하지만 바깥 기온 때문에 두부가 쉽게 차가워지므로 식탁 위에 뜨거운 육수를 가득 담은 목판에 두부를 넣고 따뜻한 상태로 먹는다.

난젠지의 유도후

교토에서 놓칠 수 없는 명소인 난젠지南禪寺, 1293년에 지어진 선종 사원 부근에 유도후를 하는 오래된 가게로 오쿠탄奧丹과 준세이順正가 유명하다. 오쿠탄은 그 일대 가게들 중에서 가장 오래된 집으로, 300년이 넘는 역사를 자랑한다.

준세이는 유도후 외에도 가이세키 요리懷石料理: 일본식 정찬에 두부를 접목시킨 요리를 선보인다. 두부는 이제 더 이상 절에서 먹던 소박한 음식이 아니지만, 나는 예전부터 가이세키 요리의 계절감과 섬세하고 정교한 조화를 아주 좋아했다. 그래서 교토를 갈 때면 헤이안신궁이나 난젠지 부근을 참배하고 항상 준세이에서 식사를 했다.

준세이에는 우아하고 고즈넉한 정원이 특히 눈길을 끄는데 한

때는 서원이었던 곳이다. 이곳은 원래 란가쿠蘭學* 학자 싱쿠 료테이新宮凉庭**의 소유였다. 나는 정문을 통해 들어가서 그 길에 서서 아름다운 정원의 경치를 감상했다. 그리고 맛있는 음식을 먹으면서 이런 그림 같은 경치를 볼 생각을 하며 혼자 행복에 젖었다.

우리가 예약한 음식은 유도후 가이세키 요리였다. 자리에 앉자마자 따뜻한 두유를 내왔다. 두유를 마시며 몸의 한기를 없애고 비위를 따뜻하게 덥혔다. 맛은 타이완에서 먹던 것과는 달랐다. 농도가 진하고 향긋한 콩의 향이 느껴지는 것으로 봐서 분명 처음 내린 이치반의 두유일 것이다. 이어지는 음식 순서는 일반 가이세키 요리와 거의 같았다. 날것에서 익힌 것, 차가운 것에서 뜨거운 것 순으로 도미회, 삶은 새우, 연어알과 교토 채소로 만든 절임채소인 쓰게모노 등이 이어졌다. 이 코스 요리의 정점은 다시마를 넣고 끓인 맑은 국물에 나오는 유도후에 있다. 두부를 만드는 데 사용한 콩은 농가에서 직접 가져온 것이다. 콩 생산 농가는 관개에서부터 간수 제작, 사용하는 물까지 모두 기준에 도달해야 한다. 난젠지 일대의 수질이 뛰어나서 이곳의 유도후가 유명한 것이라고 한다.

---

* 일본 에도 시대 중기 이후 네덜란드어를 통해 일본에 전수된 서구의 근대 학문을 가리키는 말로, '난학'의 '난(蘭)' 자는 네덜란드를 지칭하는 '화란(和蘭)'에서 파생하였다.

** 1787~1854년. 에도 시대 후기 난학자이자 의사. 젊은 시절 나가사키에서 네덜란드 사람에게 의술을 배웠다. 후에 교토로 돌아와 순정서원에서 강학을 열었다.

타이완에 살 때 내가 먹은 두부는 모두 수퍼마켓에서 산 것으로, 아무런 흠 없이 매끈한 모양에 어딘가 인공적인 윤기가 났다. 반면 일본에서 먹은 두부는 대부분 나무 냄비에 담긴 자연스러운 하얀색에 크기도 제각각이고 생김새나 질감도 다르다. 한 입 베어 물면 그 부드러운 식감은 두부의 결까지 느껴질 정도이고, 은은한 콩의 향과 단맛이 입안 가득 퍼진다. 유도후를 먹고 나면 두부 덴가쿠田樂가 나온다. 구운 두부에 산초와 붉은색, 흰색 미소를 발라 다시 구워서 짭짤하고 달콤하면서도 부드러워 두부 본연의 맛을 해치지 않는다.

식사를 하면서 나는 창밖으로 펼쳐진 정원을 바라보았다. 겨울의 소나무는 여전히 푸르렀고 그 사이로 작은 시냇물이 졸졸 흘러가고 시냇물 옆 이끼 위로 햇빛이 쏟아져 부드러운 양탄자처럼 보였다. 나무로 만든 주변의 건물과 소나무, 작은 시냇물과 이끼가 서로 어우러져 소박하면서도 운치 있는 분위기를 자아내고 있었다.

나는 그날의 음식과 그 느낌을 절대 잊을 수 없을 것 같다.

上. 준세이
下. 준세이의 두부 덴가쿠

추천 식당

○○○○○○○○○

준세이 順正·

주소 : 京都府京都市左京区南禅寺草川町60

전화번호 : 075-761-2311

홈페이지 : www.to-fu.co.jp(한국어 지원)

오쿠탄 娛丹

주소 : 京都市東山区清水3丁目340番地

전화번호: 075-525-2051

홈페이지 : www.tofuokutan.info

매주 목요일 휴무

해산물
: 쓰키지시장의 이야기

일본 근대 음식의 가장 큰 변화는 바로 민물 생선을 먹다가 바다 생선을 먹게 된 것이다. 에도 시대에 근해어업이 발전하면서 바다 생선이 일본 요리의 주인공으로 등장했다.

《장자》에 한 포정庖丁, 백정이나 요리사이 문혜군文惠君 앞에서 놀라운 솜씨로 소를 해체하는 이야기가 나온다. 일본어에서 포정庖丁은 호쵸라 읽고 요리용 식칼刀을 뜻한다. 요리사 고야마 히로히사小山裕久는 칼을 쓰는 법이 요리사에게 얼마나 중요한지를 늘 강조했다. 무로마치 시대부터 시작된 '호쵸 기시키'는 온조류四條流 오쿠사류大草流, 신시류進士流, 이쿠마류生間流 등 여러 유파로 발전했다.

일본 요리에서는 육류보다는 주로 어류를 요리할 때 칼의 용법이 중요하다. 무로마치 시대 호쵸 기시키를 할 때는 당시 최고급 어종인 강에서 잡은 잉어를 사용했다. 에도 시대에 이르면 바다 생선으로 바뀐다.

호쵸 기시키 庖丁儀式, 포정의식

오른손에 칼을 잡고, 왼손으로는 긴 젓가락을 쥐고 세 가지 조류학, 기러기, 꿩와 다섯 가지 어류잉어, 도미, 가다랑어, 농어, 가자미를 해체하고 손질해 사람들에게 보여주는 의식이다. 절대로 식재료를 손으로 만지면 안 되기 때문에 칼을 다루는 기술이 섬세하고 정확해야 한다.

에도 시대 이전에는 일본 정치의 중심은 교토였다. 바다에서 다소 떨어진 교토 지역에 사는 사람들이 바다 생선을 먹으려면 일본해 연안의 와카사만若狹灣에서 잡아 소금에 절인 생선을 요리해 먹을 수밖에 없었다. 그러다 도쿠가와 이에야스가 에도로 도읍을 정한 후, 어획량이 풍부한 에도만지금의 도쿄만이 근처에 있어 에도 사람들은 바다 생선, 그것도 가장 신선한 생선을 먹을 수 있게 되었다.

니혼바시에서 쓰키지까지

민물 생선에서 바다 생선을 먹도록 하기 위해서는 정부의 조정과 간섭이 필요했다. 그런 과정을 거쳐 민중의 식습관을 성공적으로 바꿀 수 있었다. 도쿠가와 정권은 에도에 대규모 토목공사를 실시한 일 외에 도성 안의 안정적인 어류 공급을 확보하기 위해 오사카 소작 마을에서 어부들을 모집했다. 그들에게 에도만 어획권을 주었고, 잡은 어류를 막부로 운송하는 것 외에 니혼바시日本橋에서 팔 수 있는 권리도 주었다. 그리하여 니혼바시 일대에 수산물 도매시장이 형성되었다.

니혼바시 수산물 도매시장은 수백 년의 역사를 갖고 있었다. 메이지 유신과 도쿄의 현대화 개발 때도 큰 영향을 받지 않았다. 그러나 관동대지진 때 시장이 전부 불에 타버리자 도쿄 정부는 이를 계기로 도쿄만 연안에 쓰키지를 찾아 새로운 수산물 도매시장을 세웠다. 이 시장이 바로 오늘날의 쓰키지시장築地市場이다.

쓰키지시장은 관광객 위주로 상대하는 관광지가 아니라 지금도 영업을 하는 시장이다. 또 세계에서 가장 큰 수산물 도매시장이고, 도쿄에 있는 11개의 중앙 도매시장 중 하나다. 규모가 엄청나 주변의 저렴한 식당이나 수산물을 판매하는 소매상은 물론 도쿄 대부분의 식당에도 수산물을 공급할 만큼 물량이 충분하다. 이 시장에 오는 이들은 장사를 하는 소매상, 요리사뿐만 아니라 관광객들도 도쿄에서 반드시 들러야 할 곳으로 생각한다.

쓰키지시장은 내內시장과 외外시장으로 나뉜다. 수산물 도매는 내시장에서 이뤄지는데, 매일 이른 새벽 이곳에서 판매되는 수산

쓰키지시장 전경

물량은 세계 최대다. 7개의 주요 도매상과 1,000여 개의 중개인이 이곳에서 새벽마다 싱싱한 수산물을 산다. 과거에는 내시장도 관광객이 자유롭게 볼 수 있었는데, 관광객이 너무 많아져 경매 진행과 물자를 옮기는 데 영향을 주자, 지금은 하루에 120명만 규칙에 따라 참관할 수 있다.

밤이 깊을수록 더 아름다워지는
쓰키지시장

쓰키지 내시장은 밤이 깊을수록 아름다워진다. 밤 11시부터 수많은 종류의 수산물이 세계 각지에서 쓰키지시장으로 운송된다. 새벽 2시경 도매상들이 수산물을 취합해 정리한 후에 무게와 선도, 생선살의 질에 따라 분류 작업을 한다. 수산물의 신선도와 어민의 수입 확보를 위해 그날 들어온 수산물을 전부 다 판다. 새벽 4시경부터 가장 비싼 어류와 신선도가 생명인 성게부터 경매에 들어가고, 5시 반이 넘어서부터 수량이 가장 많은 참치 경매에 들어간다현재 일반 관광객은 참치 경매 과정만 볼 수 있다. 경매가 다 끝나고 나면 도매상들은 낙찰 받은 수산물을 정리하고 난 후 다시 각 시장과 식당으로 배달한다.

쓰키지 외시장은 상점거리처럼 다양한 작은 가게들이 모여 있다. 신선한 수산물을 파는 소매상도 있고 식당과 주방용품을 파는 가게도 있다. 가게 규모는 작지만 만물상처럼 없는 것이 없다. 이곳에서 가정주부들은 신선하고 가격도 저렴한 수산물을 살 수 있고, 외시장 도로변에 가득한 식당에서 신선하고 맛있는 해산물 요리를 맛볼 수 있다.

인류학자 눈으로 본 쓰키지시장

쓰키지시장은 도쿄 사람들의 식생활 중심지라 할 수 있다. '도쿄의 위장'이라 말해도 전혀 손색이 없는 곳이다. 관동대지진 이후 이곳은 일본 음식 문화사에서 중요한 지위를 갖게 되었고, 이제는 전 세계 수산물 거래의 중심이기도 하다. 하버드 대학교 인류학자이며 일본 사회 연구의 전문가인 테오도르 베스터Teodore C. Bestor는 저서 《쓰키지Tsukiji: The fish Market at the Center of World》에서 이 시장의 운영 방식을 설명한다. 그는 쓰키지시장에서의 거래는 단순한 경제활동에 그치지 않고, 시장의 질서를 유지하기 위해 일본 문화의 논리와 사회 구조가 포함되어 있다고 지적했다.

쓰키지는 시장이기 때문에 당연히 이곳에는 경제활동의 논리가 존재한다. 이곳의 대형 도매상들은 대부분 상장을 한 큰 회사들이고, 그들은 세계 경제 경기의 영향을 받고, 국제화된 시장으로서 역시 세계 경기에 연루될 수밖에 없다. 또 이곳은 현대 일본 음식 문화 전통의 수호자로, 수백 년 이어온 에도 요리의 원료 공급지이기도 하다. 쓰키지시장은 국제화 시대의 현지 활동가라고 할 수 있다.

일본의 전통음식 문화는 수산물 수입이라는 경제적 수요를 창출했고, 시장의 상인들은 사회 관계망을 통해 이익과 분배를 하며 서로 간에 깊은 인간관계를 맺고 있지만, 계산은 정확히 해야 한다는 사실을 놓치지 않는다. 베스터 교수는 쓰키지시장의 소형 판매상, 식당 그리고 대리상들이 대부분 가족 중심의 회사 경영을 하는 것을 관찰했다. 이런 가족 경영 회사는 친척이나 도제, 동향으로 사회적 관계를 맺는다. 그들 서로 간에 각기 다른 조직을 만들고 그것으로 자신의 권리를 지키고, 큰 이익을 추구한다. 이런 전통 조직이나 직업은 에도 시대 이래로 장인문화를 만들었다.

쓰키지시장은 사라질 것인가

2020년 도쿄에서 두 번째로 올림픽이 열릴 예정이다. 도쿄 정부는 긴자 부근을 새롭게 정비하려는 계획이라 쓰키지시장을 도쿄만의 인공 매립지인 도요스豊洲로 옮기려고 한다. 이에 많은 사람들이 도쿄가 80년이 넘는 역사를 가진 시장을 잃는 것이 아닐까 걱정하고 있다. 또한 이를 통해 가족 중심의 경영 방식이 대형 체인점으로 흡수되어 버리는, 경영 방식 자체에 큰 변화를 초래하는 것은 아닐까 우려하고 있다.

한 시장이 일본의 사회, 문화와 경제적 관계를 반영한다면 마찬가지로 시장이 없어지는 것 역시 도쿄의 변화를 반영한다. 쓰키지시장의 이전은 물론 진지하게 생각해볼 중요한 일이다. 하지만 그렇다고 이 시장의 이전이 현재 쓰키지시장의 경영 방식과 음식 문화에 변화를 일으킬 것이라는 우려에는 동의하지 않는다. 80여 년 전에 수산물 시장이 니혼바시에서 쓰키지로 이전했을 때도 에도의 음식 문화를 성공적으로 이어받지 않았는가? 앞으로도 수산물 시장이 존재한다면 그 이름이 쓰키지가 아니라 해도 쓰키지 문화는 분명 계속 이어질 것이다. 변화의 시기에 일본 사회가 보여준 적응력과 조절 방식을 보면 큰 문제 없을 것이라 생각한다.

역사와 음식 전통의 각도에서 보면 수산물 시장과 그 배후의 대표 문화―에도 시대를 거치고, 메이지 유신을 이룬―는 여전히 잘 보존되고 있다. 때문에 우리는 새로운 시장이 앞으로도 에도 시대 이후 이어온 음식 문화 전통을 잘 보존할 것이라 믿는다.

쓰키지시장

주소 : 東京都中央區築地5-2-1
전화 : 03-3547-7074
홈페이지 : www.tsukiji-market.jp(한국어 지원)

우나쥬
: 역사를 품은 장인들

숯불에 천천히 굽는 장어. 장어를 이렇게 굽는 방법은 대를 이어 전해
졌다. 에도 시대부터 메이지 유신까지, 전쟁 전부터 전쟁 후까지.

사상事象은 문자로 남길 수 있고, 사진은 순간을 영상으로 잡아
낸다.

하지만 음식의 맛은 남길 방법이 없다. 글로 아무리 생생하게
표현한다 해도 음식을 막 입에 넣는 순간의 감동을 그대로 재현
할 수 없다.

마찬가지로 아무리 사실적인 사진도 음식을 먹고 나서의 만족
감을 시각적으로 체현할 수 없다. 때문에 음식의 맛을 제대로 전
달하고 전승하는 방법은 요리사에 의지할 수밖에 없다.

간토와 간사이 지역, 서로 다른 장어구이 방식

우나쥬란 장어구이를 위 찬합에, 밥을 아래 찬합에 담은 고급 도시락을 말한다. 장어 요리법은 동아시아 각지마다 다른 방법을 갖고 있는데, 일본인은 17세기 말에 가바야키浦燒 방식을 발명했다. 가바야키는 장어의 배를 갈라 뼈를 제거한 후, 간장을 골고루 발라 꼬치에 꿰어 불에 구워먹는 것이다. 처음에는 귀족들 사이에서만 전해지던 요리법과 음식이었으나 점차 민간으로 전해졌다. 그런데 가야바키 방식이긴 해도 간토 지역과 간사이 지역에서 그 방식이 조금씩 달랐다. 간토 지역은 장어의 등 부분을 갈라 뼈를 제거하고 찜통에 한 번 쪄낸 후 양념을 발라 구웠다. 반면 간사이 지역은 장어의 배 부분을 갈라 뼈를 제거한 뒤 찌지 않고 그대로 양념을 발라 구웠다.

장어 먹기 가장 좋은 계절

일본인이 말하는 한여름은 장어를 먹는 계절이다. 땀이 비 오듯 흐르고, 입맛이 떨어질 때 마침 우리의 복날에 해당하는 도요노우시노히土用の丑の日라는 절기가 있어 이때 장어를 먹는다.

일본에는 1년에 네 번 도요노히土用の日가 있다. 입춘, 입하, 입

추, 입동 전후 18일이 이 도요노히로 각 계절마다 한 번씩 있다. 하지만 지금은 여름 도요노히 중 가장 더운 하루 혹은 이틀을 칭하고, 이때 일본인은 장어를 먹으며 원기를 보충한다.

왜 가장 더운 날에 장어를 먹을까? 장어가 영양이 풍부하다는 건 누구나 알고 있어 일본은 물론 동남아 여러 나라에서 장어는 보양식품의 대표주자로 꼽힌다. 여름에는 날씨가 더워 땀을 많이 흘려 체력이 떨어지고 식욕을 잃기 쉽다. 중의학에서 장어의 육성肉性은 마르고 뜨겁지 않으며 담담하고 온화해서 몸이 찬 사람이나 뜨거운 사람 모두에게 무리가 없다고 한다. 때문에 더운 여름에 보양음식으로 먹으면 더위를 물리치고 체력을 보충하는 데 도움이 된다.

200년의 시간을 품은 가게, 오에도

오에도大江戶는 에도 시대 간세이寬政 연간1789~1800년에 문을 연 장어구이집으로, 현재까지 10대가 가업을 잇고 있다. 니혼바시의 미츠코시백화점 길을 따라 걷다 작은 골목으로 들어가면 바로 눈에 들어오는 3층 건물이 본점이다. 겉모습만 봐서는 이곳이 수백 년간 이어져 온 노포임을 짐작하기 어렵다.

일본식 나무로 된 문에는 방한용 발이 걸려 있고, 어디선가 향굿한 장어구이 냄새가 풍겨온다. 발을 걷고 들어서면 제일 먼저 일렬로 늘어선 칸막이 방들이 눈에 들어온다. 저녁 8시가 다 되어가는 데도 손님은 여전히 꽉 차 있었다. 예약을 하지 않은 나는 2층에 별실을 이용할 수밖에 없었다. 손님이 많다보니 그마저도 기다려야 했다. 나와 아내는 연신 배에서 꼬르륵 소리가 나고 요동을 쳤지만 숯불에 은근히 굽는 시간과 정성을 알기에 기다릴 수밖에 없었다. '장어구이는 절대로 재촉해서는 안 된다.'라는 도쿄 속담도 있다.

옻칠을 한 검은 나무 합의 뚜껑을 열자 잘 구워진 장어의 향이 퍼져 나왔다. 향을 맡자 오랜 기다림의 고통은 순식간에 사라졌다. 한번 쪄낸 장어는 너무나 부드러웠고, 그 위에 발라진 간장소스는 달콤하면서도 전혀 느끼하지 않았다. 살살 녹는 장어구이에 잘 지어 식감이 좋은 흰쌀밥을 함께 먹으니 세상 부러울 게 없었다!

장어의 품질, 굽는 시간, 소스의 맛과 농도, 흰쌀밥의 식감은 우나쥬의 맛을 결정하는 핵심이다. 대를 이어 전해진 숯불에 천천히 장어를 굽는 방법은 시대가 변했어도 어렵사리 이어지고 있다.

가바야키 방식이 처음 생겼을 때부터 오에도는 영업을 시작했다. 지금 도쿄에 장어구이집과 우나쥬집은 아주 많지만 이렇게 오랫동안 대를 이어 영업하는 곳은 그렇게 많지 않다. 오에도 외에 노다이와野田岩가 있다. 이 두 곳은 장어구이의 살아 있는 역사다.

장어구이 노포, 오에도

장어의 장인, 가네모토 가네지로

오에도와 마찬가지로 오랜 역사를 가진 노다이와의 주인 가네모토 가네지로金本 兼次郎는 여든이 넘은 나이로 장어요리의 인간국보이다. 우나쥬에 관해서는 자신만의 철학이 있고, 가게의 경영이념 역시 보통 사람들과는 다르다.

지하철 아카바네바시赤羽橋역을 나오면 도쿄타워가 눈앞에 서 있다. 여기서 몇 발자국 가다 보면 바로 노다이와 본점이 나온다. 현재의 건물은 소화 50년1975년에 새로 지은 것이지만, 언뜻 봐도 오래된 가게처럼 보인다. 외관은 고풍스럽지만 내부는 기후 현 히다飛驒 고산 지역의 오래된 민가를 그대로 옮겨놓았다. 이렇게 오랜 세월 살면서 만들어진 고풍스러운 분위기는 아무리 좋은 페인트로도 절대 흉내 낼 수 없다.

노다이와의 역사는 건물에만 그치지 않는다. 노다이와는 벌써 5대째 100년 넘게 이어지고 있다. 가업을 잇는 이곳은 창업 이래 똑같은 맛을 이어오고 있을까? 하지만 가네모토 가네지로는 그렇게 생각하지 않는다고 했다.

노다이와의 맛은 변했다. 먼저 가장 중요한 장어의 공급원이 달라졌다. 과거에는 모두 자연산 장어를 사용했지만 지금은 어획량 감소로 장어가 나지 않는 시기에는 양식 장어를 사용할 수밖에 없다고 한다. 가네모토 가네지로는 과거에는 자연산 장어가 아니면 쓰지 않는다는 원칙을 고수해서, 자연산 장어가 잡히지 않는 12월부터 4월까지는 가게 문을 닫았다. 그런데 거의 반년을 영업하지 않아도 가게 임대료와 인건비는 매월 지급해야 하므로 경영상 어려움을 겪게 되자 그도 품질 좋은 양식 장어를 찾기 시작했다. 두 번째, 장어구이에 사용하는 소스의 맛 역시 과거와 달라졌다. 과거에는 사람들이 주로 걸어서 이동했고, 노동량이 많아 땀을 많이 흘리는 관계로 소스를 좀 짜게 했다. 그런데 과거에 비해 활동량이나 체력 소모량이 적은 현대인들의 특성과 입맛의 변화에 따라 소스도 담백한 맛으로 바꾸었다. 이 밖에 그는 우나쥬로 세계인의 입맛을 사로잡기 위해 프랑스로 가서 요리수업을 받았다. 그는 그곳에서 고급 레스토랑의 경영 방식은 물론 장어에 어울리는 와인을 찾는 공부도 게을리 하지 않았다.

역사를 자랑하는 오래된 가게라고 변화를 거부하고 자신의 것만 고집해서는 안 된다. 시대의 변화에 따라, 손님의 입맛 변화에 따라 맛을 바꾸려는 노력을 꾸준히 한다. 또 경영 방식에도 변화를 준다. 그렇지만 그 어떤 변화에도 바뀌지 않는 것이 바로 '전통'이다. 이 전통은 고집과 끈기이고, 장인의 요리 기술이고, 삶을 대하는 태도다.

꿰는 데 3년, 손질에 8년, 굽는 데 평생

장어를 손질해서 굽기까지 다섯 가지 공정으로 나눌 수 있다.

첫 번째, 장어의 측면을 가른다. 두 번째, 대꼬챙이를 장어의 갈라진 틈으로 꽂아 넣는다. 세 번째, 장어의 기름을 빼기 위해 아무런 양념을 하지 않고 초벌구이를 한다. 네 번째, 장어가 완전히 익을 때까지 찜기에 넣고 찐다. 다섯 번째, 찐 장어에 소스를 발라 맛이 배도록 잘 굽는다. 이 모든 과정마다 시간과 마음을 쏟아야만 기술을 제대로 익힐 수 있기에 이런 말이 전해진다.

"장어를 제대로 손질하고 요리하려면 꿰는 데 3년, 손질하는 데 8년, 굽는 데 평생이 걸린다."

장어 요리사는 반드시 정교하고 섬세한 칼솜씨를 지녀야 장어 측면을 따라 등뼈를 재빨리 부드럽게 빼낼 수 있다. 보통 2분에 장어 세 마리를 손질하는데 속도와 정교한 칼솜씨가 장어의 신선도와 육질을 결정한다. 대꼬챙이에 꿰는 일도 단순하지 않다. 불에 구울 때 장어 껍질과 살 사이에 지방층도 제대로 구워질 수 있도록 고기 결을 따라 대꼬챙이를 정확히 찔러 넣어야 한다. 구울 때도 장어가 타지 않도록 집중해서 숯불의 세기와 고기 색깔을 관찰해야 한다. 장어가 다 쪄지면 소스를 발라 불 위에서 다시 한 번 굽는데 지방이 전부 다 익도록 서른여섯 번을 뒤집어가며 굽는다. 장어가 윤기가 나고 향이 강해지면서 지방이 숯불 위로 떨어지고, 숙련된 감각으로 다 됐다 생각될 때가 바로 식탁에 오를 시간이다.

여든이 넘은 가네모토 가네지로는 이 일을 시작한 지 벌써 60년이 넘었고, 공인된 장어 장인이지만 앞에 말한 이 과정은 아직도 매일매일 정진해야 할 기술이라고 생각한다.

노다이와에서 선보이는 세 가지 맛의 장어

노다이와의 우나쥬는 중간 정도의 가격대지만 장어의 질은 대단히 좋다. 자연산 장어가 나는 계절이면 가네모토 가네지로는 직접 이바라키茨城 현 가스미가우라霞ヶ浦에 간다. 때로는 일주일에 수십 곳의 도매상을 찾아 질 좋은 장어를 충분히 확보한다. 자연산 장어를 쓸 수 없는 계절에는 직접 양식장에 가서 장어의 품질을 확인하고 구입한다.

나는 가을 무렵에 노다이와를 찾은 적이 있다. 그때 노다이와의 '장어삼락三樂'을 맛보았다. 장어삼락은 세 가지 맛의 장어를 맛볼 수 있는 메뉴다. 맨 처음 전채로 나온 것은 '장어편'으로, 장어를 잘 익힌 다음 젤라틴처럼 될 때까지 푹 끓인 간장 육수와 섞어 편육처럼 굳힌 것이다. 유리알처럼 투명한 데다 사각형으로 작게 잘라 놓은 모양과 색깔이 마치 호박처럼 영롱하다. 부드러운 식감

위에서부터 장어편, 시라야키, 우나쥬

과 산뜻한 간장 맛이 어우러져 입맛을 돋우는 전채로 아주 만족스러웠다. 두 번째로 이 집의 대표 메뉴인 시라야키白燒 방식으로 구운 장어가 나왔다. 소금이나 간장 같은 소스를 바르지 않고 그대로 굽는 방식으로 본연의 맛과 향을 완벽하게 살렸다. 젓가락을 대는 순간 장어 살은 저절로 떨어지고, 입에 넣자마자 가득 퍼지는 장어의 신선하고 부드러운 그 맛은 말로는 표현할 수 없다. 마지막 즐거움은 우나쥬. 현대인의 입맛에 맞춘 달콤하고 짭짤한 간장소스는 장어 본연의 맛을 해치지 않고 더욱 살려주면서 입맛을 돋우었다.

우나쥬 자체도 훌륭하지만 노다이와에서는 담는 그릇에도 심혈을 기울인다. 우나쥬를 담는 네모난 찬합은 일본 칠기 중에서 최고로 손꼽히는 이시카와 현 와지마輪島 칠기 제품이다. 칠기가 가진 우아함과 고전적인 느낌은 노다이와의 분위기와 비슷해 아주 잘 어울린다. 칠기는 정기적으로 새것으로 바꿔야 하고, 갖고 있는 다른 그릇들과도 어울려야 하기에 노다이와는 1년에 식기류 구입에만 1억 원 넘게 쓰고 있다.

쇼와 시대 일본 전통 노래인 단카 작곡가 사이토 모키치斎藤茂吉는 우나쥬를 끔찍이 좋아했다고 한다. 부인과 처음 만났을 때도 우나쥬를 먹었고, 긴장해서 부인이 잘 먹지 못하자 남긴 것을 그가 다 먹었다. 그리고 밥을 다 먹고 나서 이렇게 말했다고 한다.

"아주 잠시 몇 분에 불과한 시간이었는데, 나무가 한층 더 푸르게 변한 것 같습니다."

　노다이와에서 점심을 먹고 나왔을 때, 나 역시 정말로 늦가을 도쿄의 단풍이 한층 더 붉고, 한층 더 깊은 정취가 배어나오는 것 같은 기분이 들었다.

추천 장어집

갓포 오에도 割烹 大江戸
주소 : 東京都中央区日本橋4-7-10
전화 : 03-3241-3838

이로카와 色川
주소 : 東京都台東区雷門2-6-11
전화번호 : 03-3844-1187

이즈에이 伊豆榮
주소 : 東京都台東区上野2-12-22
전화번호 : 03-3831-0954
홈페이지 : www.izuei.co.jp

노다이와 野田岩
주소 : 東京都港区東麻布1-5-4
전화번호 : 03-3583-7852
홈페이지 : www.nodaiwa.co.jp
매주 일요일 휴무

주바코重箱

주소 : 東京都港区赤坂2-17-61

전화번호 : 03-3583-1319

홈페이지 :www.jubako.jp(한국어 지원)

매주 일요일과 국경일 휴무

미야자와宮川本廛

주소 : 東京都新宿区新宿3-14-1 伊勢丹新宿店7階

전화번호 : 03-3352-4989

홈페이지 : www.t-miyagawa.com

스시
: 살아 있는 예술품

완벽한 모양에 식재료생선를 낭비하지 않고 게다가 모든 생선의 육질
이 원래 갖고 있는 맛과 질감을 그대로 느낄 수 있게 만드는 것, 이것이
바로 요리사의 기술이다.

　미국 대통령 오바마가 2014년 일본을 방문했을 때, 아베 수상
이 비공식 저녁 식사에 그를 긴자에 있는 스시집 '스키야바시 지
로すきやばし次郎'에 초대했다. 이 스시집은 긴자의 아주 오래된 낡
은 건물 지하에 위치하고 있다. 1996년 미국 대통령 클린턴이 일
본을 방문했을 때도 역시 이곳에서 식사를 했다. 이 스시집은 미
슐랭 평가에서 별 세 개를 받은 스시의 명가다. 이곳은 메뉴판이
없고, 오로지 '스시의 신'이라 불리는 주인 오노 지로小野二郎가 정
한 대로 먹어야 한다. 그는 전 세계 미슐랭 쓰리스타 셰프 중에서
가장 나이가 많다. 아홉 살에 업계에 들어갔다고 하니 그의 한평

생이 손 안에 있다 해도 과언이 아니다.

〈스시 장인: 지로의 꿈〉은 오노 지로가 주인공인 다큐멘터리 제목이다. 그는 식재료와 제작 과정에 대한 고집과 까다로움은 물론 스시를 잡을 때 밥알의 경도와 식감을 생각하고 스시를 입안에 넣을 때와 입안에서 서서히 퍼지는 느낌까지 고려해 스시를 만든다고 한다. 다큐멘터리에서 그는 카메라 렌즈를 향해 이렇게 말했다.

"일단 직업을 결정했다면 반드시 온 마음을 다해 일해야 한다. 자신의 일을 사랑해야지 원망하거나 싫어해서는 안 된다. 또 평생 동안 실력을 갈고 닦아야 한다. 이것이 성공의 비결이자 다른 사람에게 존중 받을 수 있는 핵심이다."

그의 사상이 완벽히 녹아 있는 말이다. 그에게 스시를 잡는 일은 예술이기 때문에 끊임없이 노력해야 한다. 식사를 하러 오는 고객들은 예술을 감상한다는 마음으로 와서, 살아 있는 위대한 예술품을 보듯 스시를 대한다. 그러나 스시의 역사를 보면, 스시를 먹는 일이 예술품을 감상하듯 엄숙하지 않았다. 오히려 스시는 맛있지만 편하고 간단한 느낌의 가장 서민적인 음식 문화였다.

스시의 기원

스시는 처음에 궁정이나 귀족이 아니라 평민의 요리에서 출발했다. 《금석물어今昔物語》에도 거리 곳곳에서 스시를 파는 장면이 있다. 당시 스시에 사용했던 밥은 먹기 위해서가 아니라, 해산물을 보존하기 위한 발효제 역할이었다. 스시의 어원을 보면 식초를 뜻하는 '酢su', 신맛을 의미하는 형용사 '酸しsushi'에서 시작되어, 한자로 鮨지, shshi, 鮓자, sushi로 쓴다둘 다 생선젓갈을 의미한다. 즉 발효된 신맛과 관련이 있다. 동북아시아와 동남아시아 음식의 중요한 전통 중 하나가 바로 쌀을 발효시켜서 생선을 보존하는 것인데, 이는 냉장기술이 없던 시대에 생선을 먹기 위한 방법이었다.

스시의 기원은 나라 시대 후나鮒, 붕어로 만든 스시로 알려져 있다. 비교적 오래된 스시로 현재도 간사이 지역 시가 현 일대에 후나즈시鮒鮨가 있다. 당시에는 지금처럼 바다 생선이 아니라 비와琵琶호수에서 잡은 민물 생선 붕어를 사용했다. 후나즈시를 만드는 일은 꽤 많은 시간과 공이 드는 일이었다. 봄에 붕어를 잡아 비늘과 내장을 제거한 뒤 소금에 절여두면 시간이 지나면서 생선에서 핏물과 수분이 빠져나온다. 이렇게 서너 달 절인 뒤 여름쯤에 생선을 꺼내 깨끗이 씻은 뒤 다시 소금에 절인 밥을 채워 밥통에 넣어 발효시킨다. 발효시킬 때 위에 무거운 것을 올려서 발효를 돕는데, 기간은 짧게는 수개월, 길게는 1, 2년도 걸린다. 이렇게 발효를 통해 생선을 숙성시켜 먹는 스시를 나레즈시熟壽司라고 한다. 오랜 발효기간을 거치다 보니 후나즈시는 독특한 산패향이 강해서 보통 사람들은 쉽게 입에 대지 못한다. 상한 생선 같다는 사람도 있지만 이런 독특한 향을 즐기는 이들도 적지 않다. 대부분 스시는 밥과 함께 어우러진 음식이라 생각하는데 나레즈시의 밥은 오랜 발효기간을 거치면서 술처럼 변하기 때문에 그 향이 더해진 생선살만 먹는다.

무로마치 시대, 아키타와 와카야마 일대에서 후나즈시의 발효기간을 한 달 정도로 단축해서 생선살도 지나치게 숙성이 안 되게, 밥도 먹을 수 있을 정도로 만들었다. 현재 아키타를 대표하는 하타하타스시ハタハタ寿司, 도루묵스시가 바로 이런 반숙성 스시다.

어쩌면 사람들은 버려지는 밥이 너무 아까워서 이런 반숙성 스시를 만들었는지도 모르겠다. 아무튼 이렇게 해서 밥도 스시에서 빠질 수 없는 부분이 되었고, 이것이 나중에 식초를 넣어 조미하는 밥으로 발전했다. 개인적으로 발효는 생선살의 맛을 끌어올린다고 생각한다. 반숙성 스시가 우리가 보통 먹는 생 스시만큼 날것의 생생함과 신선함은 없지만 그만의 독특한 풍미가 있다.

발효를 위해 긴 시간을 들이다가 에도 시대에 들어서면서 청주를 만들던 어떤 사람이 술지게미를 밥에 넣어 발효시키는 방법을 생각해냈다. 이렇게 스시에 사용하는 초밥인 샤리혹은 스메시라고도한다가 만들어지자 발효 과정 중에 생선을 넣을 필요가 없어 시간을 많이 절약하게 되었다. 이런 스시를 하야스시무壽司라고 한다. 샤리에 들어가는 쌀식초에는 초산 외에 유산, 유기산, 당 등의 성분이 함유되어 있고, 샤리 역시 스시를 평가하는 중요한 기준이 되었다. 하야스시는 현재도 와카야마 지역의 특산으로 유명하다. 하지만 발효된 밥을 사용하지 않고 차가운 샤리를 사용한다. 이것이 에도의 니기리握스시의 기점이 되었다. 그렇다면 '손에 쥔다'라는 뜻의 니기리 방법은 무엇과 관계가 있을까?

다양한 스시의 모양

에도 시대 중기, 간사이 지역의 특산 스시는 오시押스시였다. 그중 한 방법이 하코箱스시로 오사카를 비롯한 긴자 지역 일대에 전해져 지금도 특색 있는 향토요리로 사랑받고 있다. 하코스시는 밥과 각종 재료들을 나무 상자에 정확히 순서대로 넣은 다음 나무 뚜껑으로 눌러 만들었다. 그런데 성격이 급한 에도 사람들이 손으로 쥐어 간편하게 만드는 하야스시 방법을 결합해 작게 샤리를 쥔 다음 그 위에 생선류를 얹어 먹었다. 이것이 현재 보편적인 니기리스시 방식이 되었다.

일본의 스시 형태는 앞서 말한 몇 가지보다 훨씬 다양하고, 각각은 그 원류와 전통이 있다. 예를 들어 츄고쿠中國, 혼슈섬의 서부 지역인 고베에서 시모노세키까지의 지역 지역에는 뜨겁게 먹는 무시蒸스시가 있고, 가고시마의 사케酒스시는 지역 술로 제조한 술식초를 넣어 만든다. 이렇게 다양한 스시들을 먹어보면 각 지역의 강한 지방색을 느낄 수 있다.

다양한 스시 형태가 있지만 대부분 스시 하면 지금 가장 보편적인 니기리스시를 떠올릴 것이다. 그리고 니기리스시를 이야기하려면 반드시 하나야 요헤이華屋與兵衛라는 사람을 알아야 하고, 에도마에江戸前의 뜻을 알아야 한다.

간편한 서민 음식이었던 니기리스시

에도 요리의 특징 중 하나는 바로 '생기生氣'다. 에도 요리 중에서 니기리스시야말로 재료의 신선함과 번잡스럽지 않고 직접적인 조리 방식을 가장 잘 드러내는 음식이다. 도예가이자 미식가로 유명한 기타오지 로산진北大路 魯山人은 간토 지역 음식에 대해 이렇게 말한다.

"단순하지만 분명하고 단호한 요리 방법으로 손님 앞에서 식재료의 신선함을 그대로 보여줘서 먹는 이의 마음과 입을 즐겁게 한다."

에도 요리가 생기 있는 이유는 상대적으로 젊은 도시에서 형성되었기 때문이다. 그래서 교토식 정식 요리인 '교요리京料理'의 섬세하고 우아한 느낌과는 차이가 있다. 니기리스시는 에도 요리의 대표자로서 일본 요리에서도 상당히 중요한 부분을 차지한다. 하지만 니기리스시의 역사가 길지 않기에 일본 전통 요리로 보는 것은 또 어딘가 맞지 않다. 니기리스시는 대략 에도 시대 후기 분세이文政연간1804~1830년에 형성되었는데, 당시는 이미 막부 말기에 접어들어 서양 요리가 일본에 들어오기 직전이었다.

도쿠가와 이에야스가 에도를 도읍으로 정했을 때, 에도는 교토에 비해 문화, 역사, 예의 면에서 마치 선생님과 학생처럼 엄청난 차이가 있었다. 에도는 아무것도 없는 무에서 형성된 도시로 도쿠가와 이에야스는 수많은 무사들을 에도로 데리고 왔다. 그리고 생산에 종사하지 않는 이들 계층을 먹여 살리기 위해 수많은 농민과 각종 직업에 종사하는 기술자와 상인을 에도로 불러들였다. 이들 대부분은 남자들이어서 초기에 에도는 대단히 남성적인 도시였다. 또한 혼자 사는 남자들만 많다보니 이들의 성적 욕구를 해결하기 위해 세운 홍등가인 요시와라吉原가 엄청나게 번성했다.

음식도 성性과 마찬가지였다. 독신 남성들은 혼자 집에서 밥을 해먹는 일이 드물었다. 그래서 에도는 외식이 보편화된 도시였다. 니기리스시는 처음에는 지금처럼 요리집에서 먹는 고급 요리가 아니라 가판에서 팔던 간편한 서민 음식이었다. 일식집에서 바

에 앉아 스시를 만드는 셰프의 섬세한 손놀림을 보면서 먹는 음식 문화도 당시 길거리 좌판에 앉아 먹던 데서 비롯되었다. 메이지 시대 아사쿠사에 있던 '호라이스시寶來鮨' 본점은 길거리 좌판을 가게 안으로 옮기고 의자를 바에 놓고 장사를 했다. 이렇게 현대 일식집의 다치立ち, 선 채로 먹거나 마시는 것을 뜻하는 일본어라고 부르는 바가 만들어졌다.

당시 후쿠이번 하급무사 집안의 하나야 요헤이가 에도에 출장왔을 때, 수많은 사람들로 북적이는 거리를 보고 이 대도시에서 자신의 꿈을 펼치리라 결심했다. 그는 료로쿠兩國 부근의 스모경기장에서 스시를 팔기 시작했다. 원래는 하코스시를 팔았는데 생각보다 빠르지도 간편하지도 않고, 양도 적어 고민에 빠졌다. 그는 스시가 주먹밥만큼 커야 노동자계층의 배를 채울 수 있다 생각해서 현재의 스시보다 3, 4배 큰 스시를 만들어 팔기 시작했다. 이렇게 큰 스시가 나올 수 있었던 것은 에도만현재의 도쿄만에 신선한 활어가 풍부했기 때문이다. 에도만에서 잡히는 수산물을 에도마에라고 한다과거에는 에도만 여울에서 잡히는 장어를 에도마에라 했다. 또 지금은 에도 요리 전체를 에도마에라 부르기도 한다.

우타카와 히로시케의 우키요에 〈동도명소고륜이십육야대유여지도東都名所高輪二十六夜待遊與之圖〉 중에서 니기리스시를 파는 길거리 좌판을 볼 수 있다. 고륜은 현재의 시나가와 부근으로, 당시에는 해변이었다.

스시의 선구자, 하나야 요헤이

하나야 요헤이는 당시 로컬푸드의 선구자였다. 그는 가장 싱싱한 제철 수산물만을 사용했고, 며칠에 한 번씩 저녁 무렵 강에 물고기 밥을 주었다. 또한 과거에는 매콤하고 시큼한 미소를 곁들여 스시를 먹었는데, 최초로 스시에 와사비를 곁들여 먹게 한 사람이 바로 하나야 요헤이라고 한다. 당시 문헌을 보면 먹는 방법에 혁신을 가져온 하나야 요헤이의 스시 잡는 기술을 '요술'이라 칭했다. 그의 스시는 밥알의 식감이 완벽했고 생선살을 다루는 기술도 뛰어났다고 한다. 하나야 요헤이는 길거리 좌판이 점차 하락세로 돌아서자 식당을 열었는데 엄청난 반응을 불러일으켰다. 하지만 막부에게 밉보여 만약 타이완 정부라면 세금을 엄청 부과했을 것이다 검약령儉約令을 위반했다는 명목으로 수갑형양손을 쇠사슬에 묶어두는 형벌에 처해졌다.

그 후 요헤이는 다시 스시집을 경영할 수는 없었지만 당시 에도에는 이미 스시를 먹는 풍조가 생겨났다. 1824년 에도에 단 한 곳에 불과했던 스시집이 1852년에는 폭발적으로 증가해 5,250여 개로 늘어나 스시가 당시 가장 인기 있는 음식이었음을 알 수 있다. 에도 시대 말기에 만들어진 니기리스시 한 개의 가격을 현재 가치로 환산해 보면 대략 240엔 정도이다. 하지만 현재의 스시보다 크기가 훨씬 커서 한 번에 여러 개를 먹기 어려웠다. 오늘날 스시는 한입에 쏙쏙 들어가는 크기라 한 번에 십수 개는 먹지만 말이다.

도쿄 스시 명가, 규베이

보통 사람들에게 좋은 스시집은 주방장의 뛰어난 기술과 실력 외에도 가격이 너무 비싸지 않은 곳이어야 한다. 나에게 스시를 먹는 일은 즐겁고 부담 없는 여흥이다. 때문에 나는 아내와 함께 긴자에 있는 규베이久兵衛에 가는 것을 좋아한다. 이곳에는 '스시의 신'도 없고, 스시를 먹을 때 예술 작품을 감상하는 마음가짐도 필요 없다. 그렇다고 규베이에 뛰어나고 섬세한 기술이 없다는 말은 아니다. 이곳에서는 손님이 편안하고 간단하게 그리고 즐겁게 맛있는 음식을 즐길 수 있다. 이것이 바로 다들 말하는 에도마에 스시다.

긴자 하치초메에 있는 규베이는 도쿄 니기리스시의 노포로 골목 깊숙이 자리 잡은 5층 건물 안에 있다. 가게 안에 들어서자 종업원이 우리를 1층 바 자리로 안내했다, 4명의 요리사가 있고, 자리에는 손님 10명이 앉아 있었다. 가게는 전체적으로 깔끔하고 편안한 분위기다. 한 명의 요리사가 보통 2~4명의 손님을 대하기 때문에 손님의 요구를 바로바로 파악해 서비스 해준다. 5층에도

바가 있는데 여기서는 더 가까이서 스시를 잡는 요리사의 손놀림을 볼 수 있다. 2층은 일식 다다미방으로 꾸며져 있어 스시 외에도 가이세키 요리를 맛볼 수 있다. 4층은 대기실로 기타오지 로산진의 도예작품이 전시되어 있다. 이 식당은 그가 생전에 좋아해서 자주 왔던 곳이다.

우리가 이곳을 찾은 때는 5월 초로, 일부 여름철 생선을 맛볼 수 있었다. 맨 처음에 미역과 묘가茗荷, 우리나라에선 양하襄荷라고 하며 생강과에 속하는 식물로 주로 뿌리를 먹는다로 만든 전채가 나왔다. 묘가는 파와 생강 맛이 느껴졌는데 그렇다고 많이 맵지는 않아 입맛을 돋우었다. 이어서 나온 요리를 순서대로 소개하자면,

1. 다랑어의 가운데 뱃살

다랑어에서도 지방과 신선한 살이 가장 조화로운 가운데 뱃살로 만든 스시가 나왔다. 이 스시는 규베이 에도마에 전통 스시로 생선살에 타레たれ, 간장과 설탕, 육수로 만든 농축 간장소스를 발라 만든 것이다. 신선한 생선과 잘 어우러진 밥, 다랑어의 고소한 지방이 입안을 깨워 첫 번째로 먹는 스시로서는 최고라는 생각이 들었다.

2. 흰살 생선

도미와 가자미가 나왔다. 도미는 이제 사시사철 먹을 수 있는 생선으로 다랑어처럼 지방은 없지만 그렇기 때문에 씹을수록 담

백하고 달콤한 생선살 맛이 느껴진다. 가자미 역시 담백한 맛으로 입에 넣고 씹으면 신선함이 조금씩 배어난다.

3. 우니성게알 군칸마키

규베이에서 사용하는 우니는 홋카이도산으로 맛이 강하면서도 달콤하고 풍미가 아주 독특하다. 여기에 간장소스를 발라 맛은 한층 더 깊고 진해져 맛의 절정을 향해 가는 기분이다. 담백함에서 깊고 진한 맛까지 마치 한바탕 공연을 즐긴 느낌이다.

4. 구루마에비車蝦, 보리새우

호랑이무늬 새우라고도 한다. 요리사는 힘차게 움직이는 살아 있는 새우의 머리를 떼고 빠른 손놀림으로 살만 발라내서 스시를 만든 후 살짝 소금을 찍어 맛을 끌어올린다. 밥 위에서도 아직 살아서 미세하게 움직이는 새우살이 입안에 들어가면 청량감과 향긋함이 밀려온다. 일본인들은 살아 있는 새우가 팔짝 뛰는 것이 꼭 춤추는 것 같다 해서 춤춘다는 뜻으로 '오도리'스시라고 부른다.

5. 초여름 가다랑어

초여름에 잡히는 어류 중 가장 특별한 것이 가다랑어다. 과거에도 사람들은 이렇게 말했다. "초여름 가다랑어를 먹을 수 있다면 마누라를 전당포에 맡겨도 아깝지 않다."

살아 있는 신선한 초여름 가다랑어는 껍질 채로 불에 살짝 구워 스시를 만들고 간장소스를 바른다. 가다랑어는 지방 함량이 높지 않고, 살이 단단해서 씹는 맛이 아주 좋다. 게다가 살짝 단맛이 도는 간장소스와 새콤한 밥이 완벽한 조화를 이룬다.

6. 붕장어

붕장어는 불에 구운 후에 스시를 만든다. 껍질이 붙어 있는 붕장어의 짙고 깊은 맛에 밥과 와사비를 더해 먹는다. 입안에 들어가면 혀끝에서 부드럽고 따뜻한 붕장어의 맛이 활짝 피어난다.

규베이 요리사는 가볍고 친근한 태도로 현장에서 스시를 잡는다. 그 정교하고 빠른 손놀림뿐만 아니라 신선한 재료와 고슬고슬 잘 지어진 밥, 손님의 식사 속도에 맞춰서 적당한 시간에 스시를 내는 섬세함까지 완벽한 식사였다. 요리사와 가벼운 이야기를 주고받았는데 옆에 있던 일본인 손님들이 우리가 타이완에서 왔다는 것을 알고 우리 쪽으로 잔을 들며 환영의 미소를 보여주었다. 에도마에는 단순한 스시의 기술이 아니라 손님과 주인이 모두 즐겁게 그 시간을 누리는 데 의미가 있다. 당신이 어디서 왔든 규베이에서는 분명 만족스러운 한 끼 식사를 할 수 있을 것이다.

○○○○○○○○○○

추천 스시집

○○○○○○○○○○

긴자 규베이 銀座 久兵衛
주소 : 東京都中央區銀座8-7-6
전화번호 : 03-3571-6523
일요일, 국경일 휴무

스키야바시 지로 すきやばし次郎
주소 : 東京都中央區銀座4-2-15 塚本総業ビルB1階
전화번호 : 03-3535-3600
홈페이지 : www.sushi-jiro.jp

벤텐야마 미야코스시 弁天山美家古寿司
주소 : 東京都台東区浅草2-1-16
전화번호 : 03-3844-0034
홈페이지 www.bentenyama-miyakosushi.com/ja

미야코즈시 都寿司
주소 : 東京都台東区鳥越1-9-2
전화번호 : 03-5822-7777
100% 예약제

요시노스시 吉野鮨
주소 : 東京都中央區日本橋 3-8-11 政吉ビル 1F
전화번호 : 03-3274-3001
매주 토요일 휴무

소바
: 굶주림과 서민의 역사

에도 사람이 발명하지는 않았지만, '에도의 맛'이 가득한 소바는 전국
적으로 유명해 당시 '에도 4대 음식' 중 하나였다.

도쿄 사람들은 새해 하루 전에 소바를 먹는 풍습이 있다. 그때
먹는 소바를 '도시코시 소바年越しそば, 새해가 오기 전에 먹는 국수'라고
한다. 가늘고 긴 국수 가락은 장수를 의미하기 때문에 새해에 무
병장수를 기원하는 마음으로 국수를 먹었다. 에도 시대부터 지금
까지 소바는 도쿄 사람들에게 중요한 음식 가운데 하나로, 그 이
면에는 굶주림과 서민의 역사가 숨겨져 있다.

소바에 쓰이는 국수 면발은 메밀로 만든다. 메밀의 관점에서 음
식사를 바라보면 아주 흥미로운 사실들을 알 수 있다. 메밀은 일
본 역사에서 아주 일찍 출현했다. 쌀보다도 일찍 전해진 메밀은

일본 역사를 관통하는 식물이라 할 수 있다. 출토된 조몬繩紋 시대
말기 토기에서 메밀이 발견되어 3,000년 전에 이미 메밀이 뿌
리 내렸음을 증명했다. 그런데 메밀은 원래부터 일본에서 자라던
곡물이 아니다. 메밀은 위도가 높고 추운 동아시아 북부의 척박
한 땅에서 자란다. 일본에 전해진 메밀 또한 주로 간토 지역과 도
호쿠 지역 등 비교적 추운 곳에서 재배되면서 쌀을 대체하는 곡
식이었다. 오래전에 나가노, 니가타, 야마나시 등 간토 산간 지역
일대는 겨울에 눈이 많이 내려 생활이 불편했다. 때문에 농민들은
메밀을 먹으며 힘든 나날을 버텨냈다. 당시에 좀 사는 집안에서는
메밀을 먹는 집으로는 딸을 시집보내지 않으려 했다. 그만큼 메밀
은 가난, 고생과 관련 있는 농작물이었다.

메밀과 굶주림, 승려, 닌자

처음부터 메밀을 면으로 만들어 먹은 것은 아니다. 당시에는 제
분, 제면 기술이 없었기 때문에 단순히 메밀을 끓여 먹었다. 가마
쿠라 시대에 중국의 제분 기술이 사원을 통해 일본에 전해진 후
부터 메밀을 가루로 만들기 시작했다. 하지만 일반 백성들은 제분

---

* 일본의 신석기 시대. 이 당시 토기에 승문(밧줄을 꼬아 토기 표면에 눌러 장식한 무늬)이 많아서 승문
의 일본 발음을 따서 조몬 시대라 부른다.

기술을 배울 수 없었기에 여전히 메밀을 푹 끓여 익힌 다음 찹쌀밥과 함께 섞어 먹어 포만감을 높였다. 당시만 해도 메밀은 푹 삶아서 알알이 먹거나 둥근 형태로 빚어 먹었다.

메밀은 다른 곡식에 비해 성장 속도가 빠르다. 문헌에 따르면 722년 메밀을 구황작물로 삼으라는 건의 내용이 있다.《속일본기續日本記》에도 아래와 같은 내용을 볼 수 있다.

올 여름에 비가 내리지 않아 곡식이 자라지 못했다. 그러니 온 백성은 늦게 씨앗을 뿌려도 잘 자라는 메밀과 밀, 보리를 심어 기아에 대비하라.

또 메밀은 고행하는 승려와 닌자와도 관계가 있다. 나가노의 도카쿠시戶隱는 역사상 수행자와 닌주쓰忍術, 적지나 적진에 숨어들어 정세나 기밀을 탐지해내고 기습이나 암살 등을 행하기 위한 특수 기술의 중요 기원지 중 한 곳이다. 그곳의 소바, 즉 '소바키리'는 지금도 유명하고, 아직까지 그 원형을 그대로 간직하고 있다.

키리切り는 칼로 써는 것을 의미한다. 먼저 메밀을 가루로 만든 다음 뜨거운 물로 익반죽을 한 뒤 잘 밀어서 일정하게 칼로 썰어 면을 만든다. 메밀면을 만들 때 사용하는 칼은 보통 식도가 아니라 메밀반죽만 전문으로 써는 칼을 사용한다. 1696년판《다지탕헌립지남茶之湯獻立指南》에 따르면 그때부터 메밀면을 써는 칼은 다른 식도와 구분되었다. 메밀면을 써는 칼은 폭이 넓고 손잡이를

백상어 가죽으로 만든 것을 최고로 친다.

소바키리를 만드는 방법은 오와리번의 무사 아마노 노부카케天野信景가 쓴《시오지리塩尻》에 이런 내용이 나온다.

소바키리는 시나노쿠니信濃國, 현재의 나가노와 치쿠마 일대로 15~16세기 전국시대에는 시나노쿠니에 속했다에서 왔다. 처음에는 덴모쿠잔天目山에 참배하러 오는 이들이 많아지자 쌀과 보리가 부족해서 여관에서 메밀로 국수 반죽을 한 뒤에 우동면처럼 칼로 썰어 국수를 만들었다.

메밀은 척박한 땅에서 자란 것일수록 맛있다. 그래서인지 지금도 도쿄의 수많은 메밀요리집 앞에는 '늪지'나 '모래땅'이라 내 건 간판을 볼 수 있다. 척박하고 황량한 땅에서 자란 메밀을 사용한다는 뜻으로 맛도 맛이지만 이 자체가 과거 굶주린 시절에 대한 향수를 불러일으키는 것 같다. 사실 당시에 사무라이 계급이나 귀족은 메밀을 먹는 계층을 무시했다. 새하얀 쌀과 비교해 푸르죽죽한 메밀 색깔은 사람들에게 귀한 느낌을 주지 못했기 때문이다. 그런데 하찮고 저렴했던 메밀이 어떻게 '에도 4대 음식' 중 하나가 되었을까? 그것은 도쿠가와 이에야스가 수도를 에도로 정했을 때로 거슬러 올라간다.

에도와 소바

스시가 에도 시대 말기에 이르러서야 일반 대중들이 알게 된 것과는 달리 소바는 에도 시대 초기에 이미 서민 음식으로 자리 잡았다. 에도 사람이 만든 것은 아니지만 에도에서 전국적인 지명도를 얻었다.

17세기 도쿠가와 이에야스는 스미다隅田 강 앞에 작은 촌락을 새 정치의 중심으로 정했다. 그는 통치를 상징하는 성을 짓고, 해자성곽이나 고분의 둘레를 감싼 도랑를 파는 것 외에도 음식을 먹는 문제까지 모든 부분을 세심하게 살폈다. 원래 강에서 나는 민물 생선을 주로 먹던 일본인이 에도만 근처라는 지리적 이점 때문에 에도마에의 어류를 선택했다. 거기에는 장어, 다랑어, 새우 등이 포함되었다. 안정적인 동물성 단백질 공급원이 생겼지만 주식은 어떻게 해결해야 할까? 에도에 살던 제후, 다이묘, 사무라이 등은 농민들이 바친 쌀로 흰밥을 지어 먹을 수 있었지만 같이 이주해 온 기술자, 어민, 농민들은 쌀을 살 만한 경제력이 없었다. 그래서 값싼 메밀로 음식을 만들었다.

처음에는 과자점에서 팔던 메밀

메밀로 만든 음식은 에도 시대 간분寬文연간1661~1673년에 최초로 나타났다. 처음에는 국숫집에서 팔지 않고 과자가게에서 팔아 빵처럼 여겨 화과자처럼 뜨겁게 찐 다음 먹었다. 에도 시대 중기에 이르면서 메밀로 면요리를 만들어 먹었다. 당시 메밀 100%로 만든 것을 '기소바生蕎麥'라고 했는데, 이렇게 100% 메밀로 면을 만들면 점성이 부족한 메밀의 특성 때문에 우동면이나 밀가루로 만든 소면처럼 탄력 있고 찰진 면을 만들기는 어려웠다. 나중에 밀가루를 섞어 면에 끈기와 탄력을 주는 방법을 찾아내면서 소바가 널리 퍼졌다. 특히 '니히치二八소바'라고 해서 밀가루와 메밀을 2:8 비율로 섞어 만든 면은 맛도 이상적이었고 가격도 저렴해서 가장 인기가 있었다. 17세기 초 일본에 머무르던 조선 승려 원진元珍이 이 방법을 전해주었다는 설이 있다.

이렇게 되자 메밀로 만든 면요리가 한층 보편화되었고, 먹는 방법 역시 지금처럼 삶은 국수를 차갑게 해서 채반에 건져 먹는 '모리소바' 형태도 등장했다.

18세기 중엽 이후에 소바를 국물과 함께 먹는 방법이 등장했고, 당시 유행하는 각종 음식, 예를 들어 달걀이나 장어, 덴푸라 등과도 함께 먹었다. 19세기 중엽에 이르면 에도에 소바 전문점이 700개가 넘었다. 길거리 좌판이나 여러 국수를 다 파는 가게까지 더하면 약 4,000여 곳이 넘었다. 길거리 좌판 형태는 서서 먹는 간이식당이라 할 수 있는데, 에도 시대에 이런 형태의 수많은 소바집이 성행했다. 서서 먹는 식당을 찾는 이유는 대부분 시간에 쫓겨 빨리 먹기 위해서다. 당연히 먹는 모습이 우아하기 어렵다. 세계의 많은 나라에서 국수를 먹을 때 소리를 내지 않는 것이 예의인 데 반해 일본인은 일부러 후루룩 소리를 내며 먹는다. 일본인이 면을 먹을 때 소리를 내는 이유 중 하나가 소리 내어 먹어야 빨리 먹을 수 있기 때문이라는 속설이 있다.

소바는 다른 '에도의 4대 음식'인 우나쥬, 스시, 덴푸라에 비해 만들기도 쉽고, 먹는 속도도 빠르다. 지금까지도 이런 음식 습관이 그대로 이어져오고 있다. 대표적으로 가차역 플랫폼에서 소바집을 볼 수 있는데, 잠시 정차하는 시간이나 기차를 기다리는 사이 서너 젓가락에 소바 한 그릇을 뚝딱 먹는 사람들을 볼 수 있다.

고이쿠치간장에 달걀과 고기가 더해진 소바

에도의 소바를 이야기할 때 고이쿠치간장을 빼놓을 수 없다. 소바를 먹는 계층은 대부분 육체노동자들이라 땀을 많이 흘려서 염분 섭취가 꼭 필요했다. 과거에는 간장 가격이 비싸 쉽게 먹을 수 없었는데 저렴해지자 소바에 고이쿠치간장, 요리주, 설탕을 함께 섞어 만든 소스를 곁들여 염분과 당분을 보충했다. 일본인은 에도 말기부터 오리고기를 먹었다. 당시에는 고기를 먹는 것은 야만인의 습성이라고 여겨 에도 말기의 풍속을 다룬 책《수정만고守貞漫稿》를 보면 '야만인의 소바'라는 음식의 조리법에 '뜨겁게 삶은 소바에 달걀과 오리고기를 함께 먹는다'라고 적혀 있다. 이렇게 야만인의 습성이라 여겼던 육식이 메이지 유신 이후에는 '개화'의 상징이 되었다. 그리하여 다양한 고기를 더한 '개화소바'가 등장했다. 그중에서도 막부 말기에 개업한 소바가게 렌쿄쿠안蓮玉庵의 '소고기개화소바'가 특히 유명했다.

건강식품이 된 메밀

제2차 세계대전 후, 일본인은 대부분 쌀밥을 먹을 수 있게 되었다. 점점 먹고살기가 나아지자 기름진 음식을 많이 먹게 되었다. 그 가운데 소바는 건강식품으로 자리 잡았다. 메밀에는 백미에는 없는 영양소가 많다. 단백질, 불포화지방, 당류, 섬유소, 비타민 B1, B2, B6, B12, C, D, E 등과 칼슘, 나이아신, 아연, 마그네슘, 루틴 등을 함유하고 있다. 영양학자들은 메밀은 고지혈증, 고혈당, 고혈압에 좋다고 말한다. 원래 가난한 사람들이 먹던 메밀이 새로운 시대를 맞아 건강과 영양의 대명사로, 시골을 대표하는 일

현재는 건강식품의 대명사가 된 소바

본 음식으로 바뀌었다. 이는 전통 음식의 재발견이라 할 만하다.

일본은 1980년 국제메밀연구학회International Buckwheat Research Association를 설립해 3년에 한 번씩 학회를 열어 식량위기, 메밀의 육종과 재배, 국제 협력을 토론한다.

다양한 지역의 소바

니가타, 나가노는 메밀의 중요 생산지다. 니가타 도카마치十日町에 있는 유명한 소바 전문점 고치마야小嶋屋를 찾았다. 이곳은 해초소바가 유명하다. 왜 소바에 해초를 넣었을까? 그것은 메밀의 성질 때문이다. 메밀은 점성이 부족해 국수 반죽을 할 때 점성을 더하기 위해 달걀, 마 등을 넣는다. 그런데 바다와 산으로 둘러싸인 이곳에서는 현지 특산물인 해초를 더해 점성을 살려 소바를 만든 것이다. 이렇게 만든 면은 메밀 자체의 구수한 향기뿐만 아니라 해초의 맛도 함께 즐길 수 있어 일본인이 말하는 '바다의 행복, 산의 행복海の幸,山の幸'을 다 누릴 수 있다.

반면 도쿄의 소바는 대부분 나가노 지역에서 온 것이다. 나가노의 수타 소바를 도쿄 소바가게에서는 가장 우선으로 선택한다. 기계로 뽑은 면 가닥은 굵기나 길이가 똑같지만 수타면은 굵기도 길이도 다르다. 전에 나가노 지역을 여행할 때, 마쓰모토松本에 있는 스키모토衫本료칸에 머물렀다. 그 료칸에서 수타 메밀면을 만드는 과정을 보는 행운을 누렸다. 하나오카 사다오花岡貞夫는 료칸 주인이자 소바 요리사로 매일 열 그릇 분량의 메밀면만 만든다. 거의 1시간에 달하는 수타 메밀면 만드는 과정에서 코끝을 맴돌던 메밀의 은은한 향기를 아직도 잊을 수 없다.

도쿄의 소바가게들은 나가노 지역에서 온 수타 기법과 자신만의 '에도의 맛'을 강조한다. 에도 시대에 창업한 스나바砂場, 사라시나更料, 야부藪는 삼대 소바집이란 뜻의 어삼가御三家라는 칭호를 갖고 아직까지도 도쿄 각지에서 영업하고 있다. 새우튀김을 얹은 소바의 원조집, 무로마치 스나바室町砂場나 1789년 나가노 상인이 문을 연 나가노 사라시나 누노야타헤에信州更料布屋太兵衛, 메밀을 껍데기째 갈아 회백색이 나는 소바로 유명한 아자부주반麻布十番에 있는 도쿄十一房咖啡 사라시나 본점總本家更料 등은 벌써 8대째 영업하고 있다. 우에노, 아사쿠사 근처에 있는 야부소바藪蕎麥는 에도 말기의 유명 소바집 쓰타야蔦屋를 계승해 여러 번 빻은 메밀가루로 국수를 만들어 식감이 아주 좋다. 이곳은 소바에 매운 간장소스를 곁들여 낸다.

이케노하타池之端나 나미키並木 모두 오래된 맛집으로 많은 문학가들이 단골로 찾는 곳이다.

그렇다면 당신은 어떤 소바를 좋아하는가? 건강하고 영양이 풍부한 소바는 척박한 땅이 잉태해 키운 서민의 대표 음식이고, 에도 시대가 남긴 음식 문화다. 당신이 소바를 먹는다면 맛있는 음식을 먹는 순간일 뿐 아니라, 역사와 문화를 직접 증명하는 순간이기도 하다.

추천 식당

고치마야小嶋屋

주소 : 新潟県十日町市中屋敷758-1

전화번호 : 025-768-3311

홈페이지 : www.kojimaya.co.jp

렌교쿠안蓮玉庵

주소 : 東京都台東区上野2-8-7

전화번호 : 03-3835-1594

매주 월요일 휴무

이케노하타 야부소바池之端藪蕎麥

주소 : 東京都文京区湯島3-44-7

전화번호 : 03-3831-8977

매주 수요일 휴무

도모에초 스나바巴町砂場

주소 : 東京都港区虎之門3-11-15 SVAX TT 1F

전화번호 : 03-3431-1220

매주 토요일, 일요일 휴무

나미키 야부소바 並木藪蕎麦

주소 : 東京都台東区雷門2-11-9

전화번호 : 03-3841-1340

매주 목요일 휴무

누노쓰네 사라시나 布恒更料

주소 : 東京都品川区南大井3-18-8

전화번호 : 03-3761-7373

홈페이지 : http://www1.cts.ne.jp/~masu/shinagawasoba/nunotsune.html

매주 일요일 휴무

덴푸라
: 문화 교류의 중심에서

기름에 노릇노릇 튀겨 먹는 덴푸라. 그 진수는 재료의 신선함과 단맛을 끌어올리는 데 있다. 이것이 바로 덴푸라의 핵심이다.

정보화 시대에 살다보니 음식 문화도 각지에서 다양한 변화를 일으켰다. 전 세계에 퍼져 있는 맥도널드는 세계화를 상징하는 음식이 되었고, 태국 음식, 이태리 스파게티와 피자, 중국 음식도 세계 각국에서 유행하고 있다. 때문에 음식 문화는 전 세계에서 행동하는 게릴라라고 할 수 있다.

그러나 현대에 이르러 음식 문화가 교류한 것은 아니다. 500년 전 대항해 시대에 이미 포르투갈 사람이 일본에 서양 음식과 농작물을 많이 전해주었다. 옥수수와 고구마, 호박, 고추, 토마토가 모두 이 시기에 일본에 전해졌고, 빵과 과자, 카스텔라, 덴푸라 등도 함께 전해졌다.

덴푸라는 일본어로 '天ぷら덴푸라', 한자로는 '天麩羅천부라'라고 쓴다. 우키요에 화가였던 산토교덴山東京傳*이 붙인 이름이라 전해진다. '天'은 '天竺'으로 밖에서 들어온 음식이란 의미이다. '麩'는 밀가루 옷을 입었다는 뜻이고, '羅'는 얇은 층을 의미한다. 중국어로는 天婦羅중국어 발음으로 톈푸뤄라고 읽는다라고 번역된다. 덴푸라는 에도 시대 4대 음식 중 하나로 일반 서민들이 즐겨 먹으며, 길거리에서도 먹을 수 있었다. 덴푸라의 역사를 통해 1,000년에 달하는 문화 교류를 엿볼 수 있다. 일본인이 중국과 포르투갈에서 전해진 음식 문화를 어떻게 변화시켰는지 알 수 있다. 그리고 덴푸라를 이야기할 때 도쿠가와 이에야스를 빼놓을 수 없다.

덴푸라의 흑역사

일본 전국 시대를 종결시킨 도쿠가와 이에야스는 지금의 도쿄인 에도를 도읍으로 정하고 막부체제를 세웠다. 이 같은 난세의 영웅이 전쟁이 아닌 음식을 잘못 먹어서, 즉 덴푸라 때문에 죽었다는 이야기가 전해진다.

---

* 산토교덴(1761~1816년). 에도 시대 후기의 우키요에 화가이자 극작가.

도쿠가와 이에야스가 총애하던 흑의국사黑衣國師로 불리던 승려 스덴崇傳은《본광국사일기本光國師日記》에 일선에서 은퇴한 도쿠가와 이에야스와 그 측근들이 치바 현의 다나카로 매 사냥을 나갔다가 병이 나서 막부로 돌아왔다고 기록했다. 그 책에는 이에야스가 무엇을 먹었는지는 언급되지 않았지만《원화연록元和年錄》에 따르면 그가 참기름에 튀긴 도미를 먹고 나서 얼마 후에 발병했다는 기록이 남아 있다. 학자들은 도쿠가와 이에야스가 위암을 앓았고, 소화와 흡수 능력이 좋지 않은 상태에서 야외 사냥을 하고 기름에 튀긴 음식을 먹어 병세가 악화되었다고 본다. 하지만 당시의 튀김은 아직 밀가루 옷을 입히지 않았기 때문에 엄격히 말하면 덴푸라는 에도 시대 초기에는 없었다고 볼 수 있다. 그렇다면 덴푸라는 언제 만들어진 것일까?

덴푸라의 기원

포르투갈의 해안 도시에 가면 '프리터fritter'라는 음식이 있다. 생선류에 밀가루 옷을 입혀 기름에 튀긴 음식으로 레스토랑이나 길거리 좌판에서도 쉽게 볼 수 있다. 또 내항해 시대에 포르투갈 사람들은 당시 냉동보관이 어려웠기 때문에 보통 생선을 염장하거나 기름에 튀겨서 보관 기간을 늘렸다. 이런 여러 가지 상황으로 봤을 때 음식 문화 연구학자들이 덴푸라는 포르투갈에서 일본으로 전해진 것으로 보고 있다.

하지만 생선류나 채소에 밀가루 옷을 입혀 기름에 튀기는 방법은 아주 많은 나라의 음식에서 쉽게 볼 수 있다. 영국의 대표 음식인 피쉬 앤 칩스fish and chips, 타이완의 커디아蚵嗲, 밀가루를 입혀 기름에 튀기듯 지지는 굴전의 일종를 비롯해 태국에도 채소에 밀가루 옷을 입혀 기름에 튀기는 음식이 있다. 덴푸라가 포르투갈에서 전해진 것이라 해도, 그것으로 일본인이 왜 이 음식을 받아들였는지 밝혀낼 수는 없다. 같은 시기에 고추도 포르투갈과 스페인에서 일본으로 전해졌지만, 일본인은 맛이 지나치게 강한 고추를 받아들이지 못했고 조선에 전해주었다. 이후 고추는 한국 요리의 매운맛을 내는 핵심 재료가 되었다.

이제 다시 덴푸라를 만드는 방법을 통해 그 기원을 살펴보자.

— 밀가루 옷으로 감싼다.

— 참기름이나 땅콩기름으로 튀긴다.

— 주로 채소와 생선류를 사용한다.

이상 세 가지 중에서 앞의 두 가지는 일본에는 없던 요리 방식이다. 그렇다면 밀가루로 옷을 입히고 기름에 튀기는 방법은 대체 어디서 전해진 것일까?

하라타 마리오平田萬里遠의 《근세음식잡고近世飮食雜考》를 보면 덴푸라에 대한 글이 있는데, 일본인과 밀가루, 기름에 튀기는 조리법의 우연한 만남은 중국과 관련이 있다고 적혀 있다.

중국 요리는 굽고, 삶고, 볶고, 튀기는 것이 기본적인 요리법으로 모두 다 기름이 필요하다. 반면 일본 요리의 핵심은 '물'이다. 식재료의 신선함을 중시하므로 물에 삶거나 불려 먹는다. 과거에는 정제된 기름을 요리에 사용하지 않았다.

기름을 짜는 방법은 헤이안 시대8~12세기에 중국에서 전해졌지만 당시 이 기술을 몇몇 상인들만 알고 있었다. 때문에 기름은 튀긴 과자나 참기름을 넣고 지은 밥 같은 귀족의 요리에나 조금씩 사용되었을 뿐 일반 서민들은 감히 먹을 수 없는 것이었다.

문화 발전사로 보았을 때 일반 백성들이 이런 귀족들이 먹는 음식을 먹을 수 있게 된 때는 에도 시대 후기다. 기술의 발전으로 기름 가격이 저렴해지면서 서민들도 기름에 튀긴 음식을 맛볼 수 있게 되었다.

기름을 사용하는 요리법 보급

당시 평민 계층의 주식은 소바였다. 에도만에서 잡은 신선한 해산물은 스시와 우나쥬에 사용되어 에도 사람들에게 필요한 단백질을 보충해주었고, 덴푸라는 지방 섭취에 중요한 음식이었다. 에도에서는 신선한 어류를 쉽게 얻을 수 있어서 넉넉한 기름에 튀긴 생선은 서민들이 육류 단백질과 지방을 동시에 섭취할 수 있는 음식이었다. 서민들도 이런 맛있는 음식을 즐기기 위해서는 질 좋고 값싼 기름이 필요했다.

원래 일본인은 참기름으로 덴푸라를 만들었다. 하지만 참깨를 기름으로 짜는 비용이 너무 비싸 에도 시대 들어와서 값싼 채종유유채기름를 사용하기 시작했다. 현재 간토 지역에 벚꽃이 피는 계절이 되면 분홍빛의 벚꽃과 어우러져 피는 노란색 유채꽃이 더할 수 없이 아름답지만 처음에는 기름을 얻기 위해 심어졌다. 값싼 기름의 공급원을 얻게 되자 그다음에는 튀기는 과정에서 어떻게 온도 조절을 하느냐가 문제였다. 덴푸라를 만들 때 기름 온도가 170~180℃는 되어야 재빨리 튀겨낼 수 있다. 처음에는 길거리 좌판 형태로 덴푸라를 팔았는데, 기름 온도를 올리려면 위험한 상황이 많이 발생했다. 때문에 대부분이 목조 건물이던 에도 시대에 자주 화재가 일어났다. 다행히 17세기 말에서 18세기 초기에 송풍기가 달린 화로를 발명해서 상당히 정확하게 온도를 제어할 수 있었다.

에도 시대에 채소를 튀긴 것은 아게모노, 생선류를 튀긴 것은 덴푸라라고 불렀다. 앞에서 도쿠가와 이에야스의 죽음이 참기름에 튀긴 도미와 관계가 있다고 했다. 생선류를 기름에 튀기는 요리법은 교토에서 전해져서 다시 간토 지역으로 퍼져나갔다. 그 때문인지 현재 두 지역의 덴푸라 요리법은 약간 차이가 있다. 간사이 지역은 생선살을 갈아서 튀기고, 간토 지역은 생선 그대로에 밀가루 옷을 입혀 튀긴다. 또 간사이 지역은 천천히 튀기고, 간토 지역은 재빨리 튀겨낸다. 튀김은 갓 튀겨 뜨거울 때 먹어야 맛있다. 때문에 길거리 좌판에서 파는 덴푸라는 대나무 꼬치에 꿰어 걸으면서 먹을 수 있게 했고, 가격도 스시 한 개와 거의 비슷했다.

쓰키오카 요시토시月岡芳年의 우키요에 〈풍속삼십이상風俗三十二相〉 시리즈 중에도 대나무 꼬치에 꽂은 덴푸라를 먹는 모습을 볼 수 있다. 이 그림의 시대 배경은 19세기 말경으로, 덴푸라는 이때 이미 가게에서 팔리고 있었다.

재료 본연의 맛이 살아 있는 덴푸라

지금 타이완에서 인기 있는 닭튀김이나 각종 튀김류는 지나치게 느끼하고 무겁고 기름지며 재료 본연의 맛을 제대로 느낄 수 없다. 하지만 일본의 덴푸라는 그와는 완전히 다르다. 덴푸라의 재료가 해산물이든 채소 등 상관없이 기름에 튀겼음에도 재료 본연의 신선한 맛이 한껏 살아 있다.

덴푸라의 진수는 식재료의 신선함과 단맛을 한층 더 끌어올리는 데 있다. 게다가 당시 에도 요리는 신선함을 가장 중요시했다. 덴푸라는 신선한 생선, 새우, 조개류에 밀가루 옷을 입힌 후 바닥이 깊은 냄비에 기름을 끓여 '와삭' 소리가 날 만큼 바삭하게 튀겨낸다. 일본 문화에 조예가 깊었던 프랑스 철학자 롤랑 바르트1915~1980년는 간결한 언어로 덴푸라를 묘사했다.

"누군가 덴푸라가 기독교포르투갈에서 왔다고 했다. 사순절 기간의 음식이었는데 일본인의 손을 거쳐 빼고 고치고 기교를 더해 정교하게 다듬어 완성한 것으로, 시공을 초월한 음식이다. 그것은 금기와 속죄의 의식이 아니다. 덴푸라는 당신의 눈앞에서 바로 만들어진다. 바삭함과 정교함과 가벼움과 아름다움과 신선함이 눈앞에 펼쳐진다."

덴푸라가 일본 요리가 되는 데 중요한 역할을 한 것이 또 하나 있다. 바로 덴쓰유天汁, 튀김을 찍어 먹는 간장소스다.

에도 시대에 간장을 사용하면서 일본 요리가 크게 발전하였다. 간토 지방에서 사용한 진한 간장고이쿠치간장은 거의 모든 요리에 사용되었다. 소바를 찍어 먹는 소스의 주재료도 간장이요, 스시 역시 간장에 찍어 먹었고, 우나쥬의 장어를 구울 때도 간장을 발라 숯불에 구웠다. 덴푸라 역시 예외가 아니었다. 덴푸라를 찍어 먹는 간장소스는 덴쓰유라 하는데, 간장에 가다랑어포와 술을 섞어 만들었다.

덴푸라 장인, 사오토메 데쓰야

덴푸라의 장인, 인간 국보라 불리는 사오토메 데쓰야早乙女哲哉는 튀김에 정통한 사람이다. 봄에 벚꽃을 보기 위해 도쿄를 찾았을 때 이 국보급 요리사가 운영하는 튀김요리집 미카와제잔코三河是山居에서 식사를 했다. 여든이 넘은 스시의 신 오노 지로가 한 달에 한 번은 꼭 이곳에서 식사를 한다고 한다. 오노 지로는 덴푸라는 기름지고 느끼한 음식이 아니라 재료의 특성을 가장 잘 살리는 방법 중 하나라고 했다. 도쿄 요리사들은 에도 시대의 덴푸라 만드는 전통을 지키며 대를 이어가고 있다. 메이지 유신 같은 정치적 변화에도 끊기지 않았다. 서민 음식에서 점차 고급 요리집의 정교한 기술이 더해져 이제 일본 요리를 대표하는 음식이 되었다.

스시와 우나쥬에 비해서 덴푸라는 식재료의 신선함 말고도 중요한 것이 하나 더 있다. 바로 정확함이다. 사오토메 데쓰야는 이렇게 말한다.

"밀가루 하나만 예를 들어도 밀가루의 형태, 수분함량, 물에 섞은 후 경과 시간, 온도, 사용빈도 등 모두 튀김 맛에 극적인 변화를 일으킨다."

튀김 요리는 튀기는 시간과 기름 온도를 정확히 꿰고 있어야 한다. 거기에 튀김 색의 변화까지 단순히 감각에만 의존하는 것이

집중해서 덴푸라를
만들고 있는 사오토메 데쓰야

아니라 상응하는 지식을 갖고 있어야 한다.

덴푸라에서 가장 많이 사용하는 재료는 해산물이다. 대하, 성게, 아나고, 갯가재 등이 있다. 내가 가장 좋아하는 덴푸라는 살아서 펄쩍 뛰는 대하를 손님 앞에서 바로 껍질을 벗겨 몸과 머리, 꼬리를 각각 다른 방식으로 튀겨내는 것이다. 대하 몸은 아주 짧은 시간에 바로 튀겨내고 그 즉시 먹어도 너무 뜨겁지 않을 정도로 딱 적당한 온도가 되게 한다. 이렇게 하면 대하의 단맛이 그대로 느껴진다.

성게는 시소잎차조기에 감싼 다음 아주 극소량의 밀가루 옷을 입혀 튀기는데 기름에 넣을 때 특히 살아 있는 성게가 빠져나가지 않도록 아주 조심해서 넣어야 한다. 잘 튀긴 성게는 시소잎의 선명한 초록색과 대조를 이룬다. 또 가운데 넣은 성게는 겉은 뜨겁고 안은 차가워서 입안에 넣으면 신선한 맛과 향이 혀와 이 사이로 가득히 퍼진다. 덴푸라에 사용하는 장어는 일반 장어가 아닌 아나고로 튀김에 적합한 바다 장어다. 만약 저녁 식사에 먹으려면 보통 그날 아침 일찍 잡은 것을 사용한다. 이유는 신선도가 떨어진 아나고는 밀가루 옷이 잘 입혀지지 않기 때문이다. 또 껍질이 있는 부분과 고기가 붙어 있는 부분은 튀기는 시간을 달리해야 한다.

사오토메 데쓰야가 신선한 아나고를 바삭하게 튀겨서 내 앞에 놓은 다음 긴 젓가락으로 아나고를 잡자 '바사삭' 하는 경쾌한 소리를 내며 몸이 둘로 갈라지고 그 사이로 향긋하고 진하며 신선한 육즙이 흘러나왔다.

어류 외에도 채소 역시 덴푸라의 핵심이다. 가지, 죽순, 버섯, 고추 모두 기름에 튀겨 자체의 수분을 가두어 신선하고 부드러운 맛을 그대로 담고 있다.

미카와제잔코에서 식사를 할 때 맛있는 요리를 먹은 것 외에 대요리사 사오토메 데쓰야가 직접 덴푸라를 만들어내는 섬세한 기술을 눈앞에서 볼 수 있었다. 그는 자연스럽고 편안하게 재료를 넣고 정확하게 꺼내고 가장 적합한 순간에 잘 튀긴 덴푸라를 하나씩 내 접시에 올려놓았다.

덴푸라의 역사를 보면 장장 500년이 넘는 문화 교류를 엿볼 수 있다. 그중 중국에서 동쪽으로 전해진 기름 짜는 방법도 있고, 또 대항해 시대 포르투갈인의 영향도 그 속에 있다. 그리고 일본인은 자신만의 독특한 미각으로 덴푸라를 달콤하고 신선한 튀김 요리의 경지에 올려놓고, 일식의 한 부분으로 만들었다.

추천 식당

○○○○○○○○○

미카와제잔코三河是山居
주소 : 東京都江東区福住1-3-1
전화번호: 03-3643-8383
홈페이지 : http://mikawa-zezanko.jimbo.com

곤도近藤
주소 : 東京都中央区銀座5-5-13 坂口ビル9Ｆ
전화번호 : 03-5568-0923
매주 일요일 휴무

도테노 이세야土手 伊勢屋
주소 : 東京都台東区日本堤1-9-2
전화번호 : 03-3872-4886
매주 수요일 휴무

나카세이中清
주소 : 東京都台東区浅草1-39-13
전화번호 : 03-3841-4015
홈페이지 : http://www.nakasei.biz/
매주 토요일, 일요일 휴무

3장

미각의 근원을 찾다

日
本
飲
食

쌀
: 일본 요리의 핵심

음식을 소중히 여기는 마음, 식재료에 대한 존중, 땅에 대한 경애심, 자연을 아끼는 마음, 자신의 입으로 들어가는 것을 소중히 여기는 마음, 자연과 몸의 대화에 귀 기울여 듣는 마음… 이것이 바로 미각의 근원이다.

맛의 근원은 레스토랑에 있지 않고, 땅에 있다. 요리 문화는 식탁에 있지 않고 음식의 전통에 있다. 일본 요리의 전통을 찾고자 한다면 쌀과 신화와 종교에서부터 시작하고 그 속에서 이해해야 한다. 일본인에게 이 근원은 신성한 것이며 또 반드시 성심을 다해 찾아야만 하는 것이다.

일본 요리에서 쌀밥은 맛의 시작점이며, 한 끼 식사가 완벽했는지 아닌지를 결정짓는 마침표이기도 하다. 맛있는 쌀은 향기가 있다. 대요리사 고야마 히로히사小山裕久는 이렇게 말한다.

"쌀밥에는 일본 요리의 모든 기술과 정신이 응집되어 있다."

쌀밥에 대해 이야기하려면 차를 음미하는 다도회를 먼저 언급해야 한다. 공복에 차를 마시면 위를 상하게 하기 때문에 다도회에서는 차를 마시기 전에 보통 쌀밥과 국, 사시미를 먼저 올린다. 한 번 상상해보라. 다다미 한두 장 깔린, 차를 마시는 작은 공간에 화로에서 갓 지은 달콤한 쌀밥 냄새가 은은히 퍼져 있는 느낌을….

입에 넣을 때 밥의 온도와 식감을 최적화하기 위해 밥을 올리는 시간과 냄새, 온도도 반드시 정확히 계산한다. 쌀밥은 차를 음미하는 모임의 성공 여부를 결정짓는 핵심이고, 이런 다도회에서 발전해 나온 것이 바로 쇼진精進 요리와 가이세키懷石 요리다. 쇼진 요리와 가이세키 요리는 일본 요리의 가장 중요한 부분이니 쌀밥이 요리의 시작이라고 할 수 있다.

쌀밥 자체도 일본 요리의 압권이다. 가이세키 요리에서 음식이 하나하나 순서대로 오른 후 마지막에 나오는 것이 바로 쌀밥과 절임반찬인 쓰게모노와 미소시루다. 아마 마지막에 밥을 주면 다 못 먹지 않을까 우려가 될 것이다. 일본 요리를 진정 이해하는 사람이라면 분명 맛의 대가 기타오지 로산진北大路魯山人이 한 말을 답으로 들려줄 것이다.

"절대로 그렇지 않다. 맛있는 음식의 극치는 바로 쌀이기 때문이다!"

당신은 생각해본 적 있나?

쌀밥이 바로 일본 요리의 승부를 결정하는 핵심임을!

영혼과 쌀의 대화

도대체 어떤 쌀이 좋은 쌀일까?

쌀알의 외관, 투명도, 형태를 가지고 판단하는 사람도 있지만 쌀의 외관만으로는 맛이 있는지 없는지 알 수 없다. 그리고 맛을 느끼는 것은 어쨌든 주관적 판단이 들어갈 수밖에 없다. 그래서 일본인은 평가제도를 통해 주관적 느낌을 객관화하고 모양도 아름답고 맛도 좋은 쌀을 엄선한다.

일본곡물검정협회는 1971년부터 전국 각지의 쌀을 평가하고 매년 쌀의 맛에 따른 등급서를 한 권씩 발행하고 있다. 20여 명이 넘는 남녀 평가위원이 반반으로 매일 한 번씩 시식을 하는데, 한 번 시식에 4가지 종류의 쌀밥을 먹으면서 일본 전국의 쌀을 모두 평가한다. 와인감정사가 와인을 마시는 것이 일이듯 밥을 먹는 것이 바로 그들의 일이다.

에치고越後, 지금의 니가타에서 생산하는 '고시히카리越光米'는 연속으로 일본에서 가장 맛있는 쌀로 인정받았다. 고시히카리는 재배가 쉬운 품종은 아니다. 비료를 너무 많이 주면 쌀알이 굵어져 벼가 아래로 축 처지고, 비료를 적게 주면 쌀알이 제대로 영글지 않는다. 게다가 고시히카리가 나는 니가타는 일본 혼슈 중부의 해안에 자리 잡고 있어 겨울에 상당히 춥기 때문에 벼가 자랄 수 있는 기간이 비교적 짧다. 때문에 파종해서 수확하기까지 시간을

정확히 계산하고 맞춰야 한다. 기후 변화가 조금이라도 생기면 수확량이 급격히 감소해 돈보다 비싼 대접을 받을 때도 많다. 근래들어 일본 정부는 고시히카리 외에도 꿈, 미인이라는 뜻의 홋카이도의 유메피리카ゆめぴりか와 규슈의 겐키元氣에게도 특 A급 평가를 했다.

일본인의 쌀에 대한 집념에는 깊은 문화적 의미가 담겨 있다. 다큐멘터리 감독 오자와 신스케小川紳介는 농촌에 가서 직접 농사를 지으면서 놀라운 광경을 보았다. 평소에는 똑바로 걷지도 못하는 구루병을 앓는 노인들이 모내기할 때는 잔뜩 구부린 등 위에 잠자리가 편히 쉬고 있을 만큼 안정된 자세로 일하는 것을 보았다. 모내기를 할 때 허리는 산처럼 굳고 안정돼야 한다. 허리가 안정되지 않으면 모내기를 제대로 할 수 없다.

농촌 관련 다큐멘터리를 찍으려던 오자와 신스케는 자신이 농사에 대해 전혀 아는 것이 없다는 것을 알고 농촌에 들어가기로 결정했다. 그는 일본에서 가장 척박한 지역인 야마가타 현 마기노 마을로 들어가 장장 13년간 그곳 농촌의 생활을 기록해 다큐멘터리 영화 〈천년을 새기는 해시계: 마기노 마을 이야기〉를 남겼다. 이 영화는 현대화 재배법 때문에 척박해진 농촌을 성토하는 것도 아니고, 단순히 농촌의 사계절과 농민의 생활을 기록한 것도 아니다. 농민과 농작물, 자연과 종교, 문화 간의 관계를 조용히 관찰하는 영화다.

향과 온도를 맞춰 낸 하얀 쌀밥

쌀에 대한 겸허함과 존경심

농민들만 쌀에 대해 종교적인 경건함과 정성스런 태도를 보이는 것은 아니다. 제2차 세계대전 이후 장기 집권한 자민당 역시 농민과 쌀에 대한 정책에 이상할 만큼 집착을 보였다. 자민당 집권의 튼튼한 초석 중 하나가 바로 농민이기 때문이다. 1920년대부터 발전된 '일본농업협동조합'은 생산지에서 판매까지 통로를 움켜쥐고 있고 또 은행 같은 역할도 하고 있다. 이 농협은행이 일본 3대 은행 중 하나로 일컬어지며 전후 오랫동안 자민당을 지지했다. 세계 어느 나라에나 농업 관련 보조 정책이 있다. 자민당의 농업 보조 정책은 농민에게 직접적으로 금전적 혜택을 주는 것이 아니라 일본 내 농산물 가격을 올리고, 외국에서 쌀을 수입하지 않는 것이었다. 그로 인해 전후 일본 농민의 수입은 다른 노동자들보다 훨씬 더 풍족해졌다.

왜 농민부터 정치가까지 쌀에 대해 다소 비합리적인 태도로 대하는 걸까? 값싼 미국 쌀을 수입하면 경제적으로 훨씬 더 이익이지 않을까? 왜 엄청난 세금을 들여 농민을 보조하는 것일까? 인류학자 오오누키 에미코大貫惠美子는 《쌀의 인류학Rice as Self: Japanese Identities Through Times》에서 일본은 쌀밥을 먹으면서 민족과 국가를 형성해왔으며 쌀이 여전히 일본 문화의 대표적 상징임을 보여준다. 또한 국가 정책부터 쌀 맛에 대한 평가까지 그 배후에는 문화와 종교적인 힘이 숨어 있고, 쌀에 대한 흠모까지 있다고 언급한다. 이런 종교와 문화적 감정을 단순히 비용이나 원가, 경제성으로 계산할 수는 없다.

쌀, 일본의 종교와 신에 대한 기본

6,000년 전 신석기 시대, 하모도河姆渡문화 시기에 이미 쌀을 재배했다. 현재 중국 절강성 여항 부근 하모도 일대에서 고고학적 증거가 발견되었다. 그런데 쌀이 일본에 원래부터 있던 식물은 아니었다. 중국에서 건너온 후 일본 야요이 시대BC 300~AD 300부터 벼농사를 짓기 시작했다. 처음에는 위도가 비교적 낮은 규슈 지역에서만 재배하다가 점차 혼슈 전역으로 번져나갔다.

모든 토지가 벼농사에 적합한 것은 아니다. 특히 위도가 높은 일본의 북쪽과 동북쪽은 추운 날씨 때문에 벼가 자라기 어렵다. 어떤 지역은 1년에 겨우 1모작밖에 할 수 없다. 때문에 쌀농사만으로는 모든 사람이 먹고살 수가 없다. 게다가 병충해나 자연재해가 겹치면 언제든지 기아가 발생하다 보니 수많은 종교의식이 모두 쌀농사 위주로 이루어졌다. 예를 들어 봄에 벌어지는 모내기 축제인 다우에 마츠리田植祭는 제때 바람과 비가 와 농작물이 잘 자라기를 기원한다. 또 가을에 열리는 니이나메사이新嘗祭는 1년

동안 곡식을 보호해준 신령에게 감사를 드리고 매해 풍년을 빈다. 이처럼 일본의 종교와 신에 대한 기본은 쌀이 중심이다.

《고사기古事記》와 《일본서기日本書紀》는 일본에서 가장 오래된 역사서이고, 그중 많은 내용이 신화로 이루어져 있다. 일본 신화에서 태양의 여신인 아마테라스 오오미카미天照大神, 텐쇼다이진가 다카마가하라高天原, 일본 시조 신화에 나오는 신들이 살던 곳에 와서 다른 신들을 통솔해 벼를 심고 나중에 자신의 손자인 니니기 노미코토邇邇藝命를 인간계로 보냈다고 한다. 니니기 노미코토는 명을 받아 볍씨를 갖고 칠흑같이 어둡고 생명의 기운이 없는 인간계에 내려와 볍씨를 심자 인간계의 혼돈은 사라지고 광명이 시작되었다. 즉 일본 문명을 창조한 근원이 바로 쌀이라는 것이다. 벼의 성장 비결을 장악하는 것이 바로 일왕 권력의 핵심이다. 아마테라스 오오미카미에게 바치는 음식 중 주된 세 가지가 물, 쌀, 소금이다.

아마테라스 오오미카미는 얼마나 중요한 인물일까? 일본 일왕의 시조가 바로 아마테라스 오오미카미의 적손이다. 이는 보통 아들이 대를 잇는 중국의 천자와는 달리 손자가 대를 이었다는 점에서 차이가 있다. 중국 역대 개국 황제를 보면 대부분 무력에 의존해 전장을 누비며 천하를 얻었다. 반면 일본의 황족은 아마테라스 오오미카미에게서 음식을 관리하는 권력을 부여받음으로써 통치의 합법성과 정당성을 얻었다. 원래 아마테라스 오오미카미와 일왕은 한곳에 모셔졌다. 그런데 11대 스이닌垂仁 일왕대에 기아가 끊이지 않자 야마토倭姫命 공주에게 아마테라스 오오미카미에게 제사를 지낼 적당한 곳을 찾아보라고 명을 내렸고, 마침내 이세伊勢 부근에 신궁을 지었다. 그곳이 바로 이세 신궁으로 내궁, 외궁과 주변에 크고 작은 125칸의 종교적 건축이 세워졌다.

이세평원, 맛의 땅

왜 하필 이곳을 선택했을까? 이세평원은 소금과 어획량이 풍부한 이세만이 근처에 있고, 평원에는 쌀과 채소가 풍성하게 자란다. 어쩌면 이것이 야마토 공주가 국가의 최고 종묘자리로 선택한 이유일지 모른다. 아마테라스 오오미카미는 음식 관리를 책임지고, 일왕은 그 후손으로서 벼농사에 관한 제사권을 장악하고 있기 때문에 인간계의 지도자가 되었다. 때문에 우리는 '벼농사 문화'가 바로 일본의 종교, 문화, 사회와 음식 전통의 근원이라고 말할 수 있다.

채소
: 제철을 대표하는 재료

현대 일본인은 전통과 고향, 어머니와 땅의 맛을 그리워한다. 그래서
다시 '교토 채소'와 '에도 채소' 등 지방 채소를 되살리는 운동을 시작
했다. 소규모로 경작하고 기후와 온도를 강조하는 농사법으로 소비자
가 계절감을 느낄 수 있도록 했다.

음식 교육 정신

몇 년 전 타이완 신베이 시의 한 초등학교 교장이 학교 급식비
를 횡령한 사건으로 재판에서 형을 받았고, 미아오리 현 현장이
공금을 횡령하는 바람에 초등학교 학생들이 급식에 멀건 죽과 국
수 몇 가락밖에 먹지 못한 사건이 있었다.

대체 어떤 음식 문화의 영향으로 이들이 다음 세대 어린이들을
이렇게 대하게 된 걸까?

영국의 유명 셰프 제이미 올리버는 예산 문제로 학교 급식에 심

각한 문제가 발생했다고 한탄한 적이 있다. 초등학교 학생들의 급식이 쓰레기 같은 음식으로 채워져 있고, 기름과 소금을 너무 많이 사용한다며 쓴소리했다.

"어린아이들에게 이런 음식을 먹이는 이들은 정말 쓰레기다!"

2005년, 일본은 식육기본법食育基本法을 공포해 음식을 정식으로 교육의 울타리 안으로 끌어들였다. 지智, 덕德, 체體 교육 외에 음식 교육 역시 국가의 미래 인재를 양성하는 데 중요한 부분이라는 인식을 한 것이다. 음식 교육은 교실에 앉아서 지식을 외우는 것이 아니라 음식, 자연과 신체를 이해하고 농가에 농작물을 직접 보고, 그 농작물들이 부엌으로 오기까지의 과정을 배우는 것이다. 또 음식을 먹고 나서 신체의 기능과 대사, 음식 찌꺼기의 수거 문제와 나아가 일본 전체의 식량 자급률 문제까지 이해하는 것이다.

일본의 학교 급식에서 사용하는 식재료는 제철 재료와 쌀밥을 기본으로 매일 10여 가지 이상 채소를 곁들인다. 그리고 학생들이 사는 지역 근처 땅에서 자라는 농작물을 알도록 하기 위해 현지 식자재를 사용하는 것 역시 음식 교육의 중요한 부분 중 하나다.

제철 음식을 존중하는 일본인들은 다음 세대를 위한 음식 교육에도 다른 나라와는 차별화된 생각을 가지고 있다. 그들은 어렸을 때부터 '음식 교육 정신'을 중시하기 때문에 어린아이들도 음식이 산지에서 식탁에 오르기까지 과정을 알고 있고, 더 나아가 음식과 인간의 관계에 대해서도 정확히 인식한다. 그리고 제철을 가장 대표하는 재료가 바로 채소라는 사실도!

교토 채소의 특별함

천년 고도 교토는 전통 건축과 공예, 예술을 간직한 도시일 뿐 아니라, 일본 음식 문화에서도 독특한 면을 갖고 있다. 에도 음식이 신선한 해산물을 많이 사용하는 데 비해 교토 요리는 채소, 두부와 곡류를 사용해서 소박하지만 우아한 맛과 분위기를 낸다.

교토는 오랫동안 일본의 수도였다. 도시 주변 농가는 오랫동안 채소를 재배해서 교토 도시민들에게 공급했다. 교토 채소의 특별함은 신선함과 맛에 있는 것이 아니라 전통에 있다. 1987년 교토 농업연구소는 교토의 전통 채소 47종을 정해 발표했다. 그중에서 쇼고인聖護院 무*, 미즈나水菜**, 가모賀茂 가지***, 호리카와堀川 우엉 등이 특히 유명하다. '전통 채소'란 메이지 유신 이전부터 있었고, 반드시 교토 인근에서 자라는 품종이어야 한다.

---

* 일본 무 품종 가운데 하나로, 우리나라에도 들어와 있다. 잎은 작으나 밑동은 둥글고 크다. 매운맛이 없고 연하며 달다.

** 겨자과에 속하는 채소로 비료를 주지 않고 물과 흙으로만 재배되어 수채라고 부른다. 예로부터 교토에서 재배되어 '교나'라고 부르기도 한다.

*** 교토 근처 가모 현에서 나는 가지로, 모양이 둥글다.

싱싱한 제철 채소

교토 채소를 되살리는 운동은 단순히 '채소를 심고 기르자'고 외치는 것이 아니라, 교토 교외의 농작물을 통해 주민들이 도시와 교외의 관계에 대해 생각하고, 더 나아가 음식 전통 속에서 영감을 찾아 요리의 실천가이자 제철 음식의 소비자가 되는 것이다. 그런데 교토의 돼지나 소 등 육류가 아니라 왜 교토 채소가 보존해야 하는 소중한 대상이 되었을까? 그 이유는 교토 채소라고 불리는 채소 품종들이 대부분 교토의 특산물이기 때문이다. 여기에 교토 음식은 오랫동안 육식을 먹지 않았던 전통이 있어서다.

육식 금지 조서

일본 요리의 핵심은 쌀밥에 있고, 두 번째는 채소다. 채소는 일본 음식 전통에서 여러 가지 다른 의미를 갖는데, 그 이유가 바로 육식을 하지 않는 식습관 때문이다. 고대 일본은 벼농사의 안정적 생산을 확보하기 위해 육류 식용을 금지하는 조서를 내렸다. 모든 육식을 금지하는 것이 아니라 소, 말, 원숭이, 개, 닭 등 이 다섯 가지 가축을 매년 4월 1일부터 9월 30일까지 식용을 금했다.

많은 학자들은 675년에 반포된 〈육식 금지 조서〉가 살생을 금하는 대승불교의 영향을 받았기 때문이라고 말한다. 하지만 조서에는 다섯 가지 동물의 식용을 금했을 뿐 오랫동안 먹어왔던 사슴

이나 멧돼지의 식용은 금지하지 않았다. 따라서 불교에서 금하는 살생은 여전히 하고 있었던 것이다. 또 금지 기간도 4월에서 9월로 마침 농작물을 심고 키우는 기간과 일치한다. 이것은 육식을 금한 이유가 농사일을 돕는 가축을 먹어버려 혹시나 농사에 영향을 줄까 싶어 금지한 것은 아니었을까 싶다.

준旬 음식, 가장 신선하고 절정의 맛

육식을 금지하자 일본인의 식습관이 채소 위주로 바뀌기 시작했다. 가장 오래된 농서《청량기淸良記》에서 1년 12개월 동안 먹을 수 있는 채소를 기록해 놓았다. 매월, 계절마다 적합한 농작물이 있으며 온도, 습도와 토양에 따라 채소의 성장 상태와 신선도와 맛이 결정된다고 쓰여 있다. 가장 적당한 시기에 채소를 따고 먹는 것, 이것이 바로 일본인이 말하는 '준旬, じゅん: 제철' 음식이다.

냉장 기술이 발명되기 전에는 식재료의 선택과 현지 생산물 수확 시기가 밀접한 관계가 있었다. 그 자체가 일본 요리의 중요한 특색이 되었다. 이런 점은 또 일본인이 다른 지역에서 나는 특산물에 대해 흥미를 갖게 만들었다. 에도 시대부터 전해지는《어조채소간물시절기魚鳥野菜乾物時節記》에는 1년 열두 달의 채소와 말린 식재료가 기록되어 있다. 또 18세기에 쓰인《일본제국명물진日本

諸國名物盡》에도 일본 각지에서 생산되는 채소들이 기록되어 있다. 일본을 여행하면 '계절 한정', '현지 한정'이 쓰인 먹을거리를 자주 볼 수 있는데 모두 에도 시대부터 전해진 음식 전통의 영향을 받은 것이다. 에도 시대에는 특정한 풍토나 기후에 따라 다른 '준'의 맛이 생겨난다고 믿었다.

일본은 제2차 세계대전 이후 서양의 식습관과 문화를 대대적으로 받아들이면서 대규모 운송 시스템과 냉장시설, 판매 시스템을 통해 식품을 보존하게 되었다. 점차 음식이 땅과 계절감에서 멀어지게 되었다. 하지만 전쟁으로 인한 빈곤에서 벗어나자 다시 서양의 음식 문화에 의문을 갖게 되었고, 수입품은 좋은 것이라는 인식에도 변화가 생겼다. 1970년대 이후 지방 특색이 있는 현지 농산품 열풍이 불어 닥쳤다.

'교토 채소', '에도 채소' 등 지역을 대표하는 채소를 부흥시키자는 운동이 일어나면서 현지의 제철 식재료가 강조됐다. 한 걸음 더 나아가 생산자에서 소비자까지 가는 단계를 줄여 모두에게 이익을 주고, 소비자가 땅에 대해 더욱 친근함을 느끼게 하자는 운동이 생겨났다. 일본의 생활협동조합연합회JCCU, 이하 생협는 1970년대부터 시작해 발전해왔다. 생협은 농민에게 직접 구매해서 소비자에게는 수퍼마켓보다 훨씬 싼 가격에 물건을 공급하여 회원 수가 폭발적으로 늘어났다. 생협은 생산자와 소비자, 판매 시스템을 연결하고 여기에 좌파 정치인들의 지지까지 더해져 지역과 유기농 농산물이 사회운동과 이상 실천의 장이 되었다.

일본의 놀라운 소비자 합작사

인류학자 모언Darrell Gene Moen은 일본의 소비자 합작사가 전 세계에서 가장 완벽하게 발전한 조직이라고 평했다. 1,400만 가구의 회원은 일본 전체 인구의 40%에 해당한다. 1990년대 이후 1,000개 이상의 소비자단체가 생겨 지방의 유기농 농사를 짓는 농민들과 직접 동반자 관계를 맺었다. 농민과 소비자 사이에 직접 연결고리가 생기자 중간 단계가 생략됨과 동시에 소비자가 농민의 작업 상황, 기후조건과 농작물의 상황을 파악할 수 있었다. 인터넷 발달로 인해 소비자와 농민 사이에 중간 단계가 필요 없어지면서 생산과 판매 관계 발전이 한층 더 유리해졌다.

전통의 채소, '준' 음식은 몇 번의 부침을 겪었지만 이제는 지역 음식과 현지 제철 음식이 결합해 다시 한 번 일본 음식 문화에서 중요한 부분이 되었다. 사람들은 잊었던 맛의 기억을 다시 찾아가고, 익숙했던 땅과 계절과 맛의 익숙했던 관계를 새롭게 돌아보기 시작했다.

쇼진 요리
: 선(禪)의 맛

> 쇼진 요리는 채소와 콩 제품이 대부분이고, 가장 단순하고 간단하게
> 만들어 식재료가 가진 원래의 맛을 최대한 살린다. 각 채소가 지닌 원
> 래의 맛을 제대로 음미할 수 있다면 이것이야말로 바로 선을 구체화한
> 맛일 것이다.

종교와 음식은 상당히 밀접한 관계가 있다. 다만 대부분 금기시
하는 음식에 방점을 찍는다. 힌두교에서는 소를 금기시하고, 이슬
람교에서는 돼지고기를 철저히 금지한다.

음식의 금기는 어디서 왔을까? 인류학자 마빈 해리스Marvin
Harris는 유물론적 관점을 갖고 있다. 그가 1985년에 출간한《음
식문화의 수수께끼Good to Eat: Riddles of Food and Culture》는 세
계의 기이한 음식 문화에 대해 생태, 인구와 경제 이론의 관점에
서 해석하고 있다. 그의 생각은 단순하다. 힌두교에서 소를 먹지
않고, 미국인이 산양고기와 개고기를 좋아하지 않는 것, 프랑스인

이 말고기를 좋아하는 것은 표면적으론 아무런 연관이나 논리가 없어 보이지만 사실은 생태와 경제적 실용성 문제 때문이라 주장한다. 적지 않은 인류학자들이 그의 의견에 이견을 내기도 했지만 나는 그의 의견 자체에 별다른 매력을 느끼지 못한다. 그는 모든 금기 음식의 배후에 있는 일정한 논리와 하나의 해석 방법을 찾고 싶어 하지만 나는 각 문화의 차이, 다양성, 풍부성에 더욱 흥미가 있다. 특히 종교와 맛있는 음식, 맛의 관계에 관심이 많다.

맛있는 음식은 이제 더 이상 종교적 금기의 문제가 아니라 감각을 끌어올리는 미각 체험이고 문화와 인간의 소통이다.

욕망은 많은 종교에서 금기시한다. 때문에 맛있는 음식을 즐기는 일은 엄격한 종교적 규율에서 당연히 쉽게 받아들여지지 않는다. 다른 각도에서 보면 이런 점 때문에 음식에 대한 요구가 높아져서 오히려 맛있는 음식에 대한 인간의 감각과 수준을 높여놓은 것은 아닐까? 종교를 통해 드러내는 맛의 관계는 일본 요리에서 아주 중요한 정신 중 하나이다. 특히 쇼진 요리와 다음 장에서 소개할 가이세키 요리가 그렇다.

쇼진 요리의 근원

불교가 일본에 전해진 뒤 가장 큰 음식 변화는 바로 육식을 금하고 채소 위주로 먹는 것이었다. 675년, 덴무 일왕은 승려에게 육식을 금하는 조서를 내렸다. 이에 승려들은 간단한 채소에 식초, 소금과 장나중에 간장으로 발전된다 등으로 조미해 먹었다.

헤이안 시대 중기의 중요 사료인《침초자枕草子》를 보면 승려들이 먹었던 음식을 '쇼진모노精進もの'라 했고, 쇼진이라는 이름은 불교의 '팔정도八正道'에서 딴 것이다. 팔정도는 인생의 번뇌에서 벗어나는 여덟 가지 법문으로 정견正見, 정사유正思惟, 정어正語, 정업正業, 정명正命, 정정진正精進, 정념正念, 정정正定이 그것이다.

정진의 목적은 악행을 끊고 선행을 하며 잡념을 없애고 온 마음으로 불도를 닦는 것이다.

선사禪寺는 불가의 청정한 장소이고 어느 곳에나 선의 뜻과 분위기를 담고 있다. 심지어 음식에도 선의 마음이 드러난다. 쇼진 요리는 음식의 정교함과 섬세함을 추구하지 않는다. 반드시 수행하는 마음을 담아 음식의 가장 본질적인 맛을 좇는다. 원래 중국에서 전해진 쇼진 요리는 일본 승려들의 개조를 거쳐 현지 식습관에 맞춰 점차 일본 요리에서 중요한 부분을 차지하게 되었다. 지금 일본을 대표하는 가이세키 요리 역시 쇼진 요리에서 비롯되었다.

쇼진 요리가 일본 요리의 근원이라고 말하는 이도 있다. 반드시 규율을 지키고 육식을 하지 않고 낭비하지 않으며 식재료 자체의 맛을 살려야 하기 때문이다. 또 제철 채소만 사용하여 계절감에 집중하는 요리이기도 하다.

문헌에 따르면 당시 사람들은 승려가 먹는 음식을 맛이 없는 정도를 넘어 엄청 먹기 힘들어했다. 대체 얼마나 맛이 없었기에 힘들어했을까?《침초자》에 한 아이가 절에 들어간 뒤에 채소만 먹게 되자 부모가 그 맛없는 음식을 먹을 아이 때문에 마음 아파하는 이야기가 나온다. 원래 승려들이 속세를 떠나 출가하는 것은 모든 세속적인 욕망을 끊기 위해서인데 먹는 것에 그리 신경을 쓸까! 하지만 출가한 사람이라도 꼭 맛없는 음식을 먹어야 하는 것은 아니다!

쇼진 요리는 가마쿠라 막부 시기에 발전된 하나의 음식 규범으로, 독특한 미각과 조리 방식을 만들어냈다. 당시 선원禪院의 다례茶禮는 쇼진 요리와 가이세키 요리 형성에 큰 영향을 끼쳤다. 쇼진 요리에 가장 큰 영향을 준 인물은 도원선사道元禪師* 로, 그는《부죽반법赴粥飯法》에서 먹는 것의 중요성에 대해 다음과 같이 썼다.

'법은 곧 먹는 것이요, 먹는 것이 곧 법이다… 이 먹는 것이 곧 깨달음이다.'

---

* 1200~1253년. 일본 조동종의 개조(開祖)로 일본에서 가장 위대한 선사로 불리는 인물.

선사의 생각은 아주 단순하다. 불법은 생활 밖에 있는 것이 아니라 일상의 실천에서 도를 깨우칠 수 있기에 생활 속의 모든 것이 바로 선의禪意의 체험이다. 아침에 일어나 잠자리를 정리하고, 몸을 깨끗이 하고, 배변을 하는 일 모두 도의 다른 얼굴이니 인간에게 영양을 공급하는 음식 역시 도의 일부분이라 할 수 있다는 말이다.

그렇다면 과연 쇼진 요리의 음식엔 무엇이 있을까?

시즈오카 가스이사이의 쇼진 요리

2013년 말, 나와 아내는 일본 도오카이도東海道 지역을 여행하다 시즈오카 현 후쿠로이에 있는 가스이사이可睡齊를 찾아 쇼진 요리의 음식 문화를 체험했다.

가스이사이는 이름 자체가 상당히 재미있는 절로, 도쿠가와 이에야스와도 관계가 깊다. 400여년 전 일본 전국 시대, 당시 이곳의 주지는 센린토젠仙麟等膳이라는 승려였다. 그는 혼란의 시대에 도쿠가와 이에야스를 도운 적이 있었다. 언젠가 은혜를 꼭 갚겠다는 마음을 품고 있었던 도쿠가와 이에야스는 후에 그를 찾아 이 절에 왔다. 그런데 센린토젠은 그가 이야기를 하는 중에 그만 잠이 들었고, 주위 사람들이 그를 깨우려하자 도쿠가와 이에야스는 막아서며 자신 앞에서 그대로 자게 내버려두었다. 그 후 센린토젠을 '잠을 잘 수 있는 승려可睡和尚'라고 불렀고, 이 절을 잠을 잘 수 있는 절이란 의미로 가스이사이라 불렀다고 한다. 이 이야기가 사실인지 아닌지 알 수 없지만 선종에 대해 잘 알고 있는 이는 어쩌면 이 이야기에 내포된 의미와 교훈을 생각해볼 수 있을지도 모른다.

가스이사이는 선종 중에서도 조동종曹洞宗을 계승하고 있어 수행을 참선에 국한시키지 않는다. 생활 속의 세세한 부분까지 수행으로 삼고, 도원선사의 《전좌교훈典座教訓》을 따른다. 조동종에서는 절의 대소사를 책임지는 전좌가 강의 외에도 승려와 중생들의 식사를 책임져야 한다. 단 보통의 요리사와 달리 음식을 조리할 때 반드시 '도를 닦는 마음道心'으로 임하고, 그 과정을 수행의 일부로 본다.

전좌典座

선원에서 식사를 책임지는 사람. 잡일이지만 선원에서는 낭비를 경계하기 때문에 보통 생각과 행동이 고결한 승려를 천거한다.

쇼진 요리는 단순히 음식을 먹는 것이 아니라 종교의 일부분이다. 가스이사이에서 식탁에 놓는 젓가락 뒷면에는 식사할 때 살펴야 할 다섯 가지食時五觀가 적혀 있다.

가스이사이의 쇼진 요리

1. 식사를 장만하기 위해 얼마나 수고했는지, 어디서 왔는지를 헤아려라.

2. 내가 이 식사를 할 만큼 선행을 쌓았는지 생각하라.

3. 많이 먹겠다고 욕심을 부리지 말라.

4. 이 식사가 내 몸에 좋은 약이다 생각하라.

5. 도업을 이루기 위해 이 식사를 하라.

쇼진 요리는 값비싼 식재료 사용을 자제한다. 나와 아내가 다다미방에 앉아 받은 음식은 두부, 채소, 버섯, 곤약 등으로 모두 담백하다 못해 아무 맛이 느껴지지 않게 조리되었다. 하지만 입안에 넣자 모든 재료들이 본연의 맛을 뿜어내기 시작했다. 한입 분량의 음식들이라 절대 배가 부르지 않겠구나 생각했는데 하나씩 천천히 세심하게 음미하다 보니 무한한 만족감이 몰려왔다. 음식은 거의 대부분이 채소와 콩제품이고, 최소한의 조리 과정을 거쳤지만 재료 자체의 진한 맛과 담백한 맛, 단맛을 고스란히 느낄 수 있었다. 모든 음식, 재료의 본래 맛을 그대로 느낄 수 있다면 그 참된 뜻이 바로 선의 정취, 선의 의미를 구체적으로 체현한 것이라는 생각이 들었다. 선의 맛은 아무 맛이 없는 것이 아니라 음식의 원초적인 맛이다.

교토 불교대학에서 강의를 했던 후지이 소테츠藤井宗哲, 일본의 요리연구가, 연예평론가, 임제종 승려는 저서에서 다음과 같이 기술했다.

혀가 순수하고 오염에 영향을 받지 않는 이유는 선당禪堂 요리가 모두 연하고 은은한 맛淡味: 담미이기 때문이다. 그 맛은 보통 말하는 옅고 가벼운 맛薄味: 박미이 아니다. 내가 이해하는 바로는 단순히 옅고 가벼운 맛은 그 맛이 충분하지 않고 맛으로 얻는 느낌과 정취가 적다. 그렇다면 연하고 은은한 맛은 무엇인가? 진하고 강한 양념은 식재료 본연의 맛을 죽인다. 식재료가 가진 원래의 맛을 충분히 드러내게 만든 것이 바로 담미, 연하고 은은한 맛이다. 단순히 옅고 가벼운 맛이 아닌 식재료가 가진 맛의 생명력을 그대로 드러내는 맛이다.

현대의 쇼진 요리 중에서 '채소로 만든 닭고기', '채소로 만든 오리고기' 등 채소로 고기의 질감과 맛을 흉내 낸 것들인데 나는 솔직히 받아들이기 어렵다. '비슷하게 흉내 낸' 것들을 먹는 사람들이 먹고자 하는 것은 결국 고기라는 거 아닌가? 이것은 채식에서 출발한 것도 아니고, 음식 본연의 맛을 드러낸다는 생각에도 맞지 않는다. 상대적으로 쇼진 요리야말로 음식의 진정한 맛이고, 내게는 정말 맛있는 음식이다. 그래서 교토에 갈 때마다 쇼진 요리를 맛볼 기회를 찾는다.

역사로 통하는 계단, 교토

　교토 대학교 교수이자 교토역을 설계한 건축가 하라 히로시原
廣司는 "교토는 역사로 통하는 계단이다."라고 말했다. 그의 말은
정말이지 정확한 표현이다. 교토는 1,000년이 넘는 역사가 켜켜
이 쌓여 있는 곳으로 계단 하나하나마다 각각 다른 시기의 이야
기를 담고 있다. 지금도 교토에는 1,000년이 넘는 고찰과 현대의
편리함을 상징하는 지하철이 공존한다. 한때는 현대화의 상징이
었던 노면전차가 시대의 흔적을 새기면서 오래된 느낌을 준다. 교
토 노면전차는 이제 란덴嵐電이라 부르는 게이후쿠전기철도에서
운영하는 하나만 남았고, 기타노선과 아라시야마선 등 두 개의 노
선이 운영 중이다. 아라시야마선의 시작점은 시조오미야로, 역은
시조도리를 마주 보고 있다. 시조오미야역을 떠난 전차는 민가들
사이의 좁은 골목을 통과하며 지나가다가 산조구치를 벗어나서
야 보통 길로 운행한다.

교토 묘신지의 쇼진 요리

　란덴의 기타노선은 닌나지仁和寺와 묘신지妙心寺를 거쳐가는데,
묘신지는 나와 아내가 쇼진 요리를 맛본 곳이다. 원래는 하나조노

花園 일왕의 별궁으로 지어진 곳으로, 지금은 임제종 묘신지파의 대본사大本寺이다. 총 면적 43헥타르430000㎡로 남문부터 북문까지 7개의 가람伽藍, 사찰 건물: 산문山門, 불전佛殿, 법당法堂, 방장方丈, 재방齋房, 욕실, 동사東司이 모두 있다. 가람의 규모와 형태는 상당히 완벽하게 보존되어 있다. 그 외에도 크고 작은 40여 개 정원이 있는데 만든 시기가 달라 경관이 다르고, 시대마다 예술적 품격도 다르다.

묘신지는 14세기에 지어졌고, 현재 일본에서 가장 큰 사찰이다. 임제종 묘신지파는 일본 및 세계 각지에 3,400여 곳의 사원이 있으며, 승려도 7,000명이 넘는다. 묘신지는 교단도 크고 조직도 완전하게 정비되어 있다. 교토 묘신지의 건물이 가장 완벽하고 장엄한데 이 모든 것이 세심한 관리 덕분이다. 이곳에는 46개의 탑두塔頭가 있다. 오래된 것은 역사가 600년이 넘는다. 다만 많은 탑두가 오닌應仁의 난1467~1477년 때 소실되어 다시 중건되었다. 타이조인退藏院은 그중에서 역사가 비교적 오래된 곳으로 3대 주지인 무인소오인無因宗因 선사가 세운 곳이다. 원내에는 본당 외에도 무로마치 시대 저명한 화가 가노 모토노부狩野元信가 설계한 고레산스이枯山水정원이 유명하다.

탑두塔頭

고승이 죽은 후, 제자들이 묘기 주변에 지은 작은 탑으로 시간이 흐를수록 점점 더 많아진다. 묘신지에도 46개의 탑두가 있다.

　타이조인은 평소에는 개방하지 않고 봄철 벚꽃이 피는 시기와 가을 단풍이 드는 시기에만 일반인에게 공개된다. 그 시기에 간다면 사찰 속의 산수와 정원을 보며 쇼진 요리를 체험할 수 있다. 우리는 점심을 예약했는데, 예약 전날 사찰에서 호텔로 입장권을 보내왔다. 봄 시즌 특별 입장권으로 시간은 오전 11시 반부터 오후 1시까지로 정원에서 차를 한잔 마실 수도 있다.

　나무로 지은 타이조인에 들어섰을 때 가장 먼저 봄 햇살에 반짝이는 정원이 눈에 들어왔다. 탁자 하나하나에 나무로 만든 일본식 찬합이 정갈하게 놓여있었다. 손님들은 조용히 질서 있게 들어가 자기 이름이 적힌 자리에 앉았다. 찬합의 뚜껑을 열자 안에는 섬세하고 정갈한 음식들이 담겨 있었다. 입안에 넣자 재료 본연의 은은한 맛이 감돌았다. 참깨로 만든 두부, 곤약, 하얀 아스파라거스, 죽순, 덴푸라, 김, 미소와 흰쌀밥…. 내게 너무 익숙한 색과 냄새로, 소박하고 우아한 맛으로 자신만의 독특한 풍미를 제대로 드러냈다. 밥 위에 살포시 얹혀 있는 분홍색 벚꽃과 벚꽃으로 만든 과자는 봄날의 사찰에 분홍빛 색감을 더해주었다. 이 시기의 사찰은 개방은 하지만 소수의 예약만을 받기 때문에 고즈넉한 분위기를 만끽할 수 있다.

시끌벅적한 관광객 없이 점심을 마치고 정원에 앉아 스님들이 만들어주는 차를 한잔 마셨다. 주변은 분홍빛 벚꽃과 푸른 소나무와 짙게 자란 이끼가 가득했다. 이것이 바로 한 끼 식사가 가져야 할 정취가 아니겠는가!

묘신지

사찰의 쇼진 요리

가스이사이 可睡齊

주소 : 静岡県袋井市久能2915-1

전화번호 : 0538-42-2121

홈페이지 : http://www.kasuisai.or.jp

묘신지 타이조인 妙心寺 退藏院

주소 : 京都市右京区花園妙心寺町35

전화번호 : 075-463-2855

홈페이지 : www.taizoin.com

다카오산야쿠오인 高尾山薬王院

주소 : 東京都八王子市高尾町2177番地

전화번호 : 042-661-1115

홈페이지 : www.takaosan.or.jp/shojin

다이코지 우케쓰자야 醍醐寺·雨月茶屋

주소 : 京都市伏見区醍醐東大路町35-1

전화번호 : 075-571-1321

홈페이지 : www.daigo-ugetsu.jp

가이세키 요리
: 사계절의 아름다움을 담다

가이세키 요리는 선종의 일기일회—期—會에서 왔다. 만남의 인연을 소중히 여겨 작은 것 하나에도 독창적이고 참신하게 계절감과 지방 특색, 접시에 담은 모양이나 색감, 음식을 올리는 속도 등에 신경을 써서 요리의 특색을 표현한다. 그를 통해 단순히 맛있는 음식을 먹는 체험뿐만 아니라 사람들에게 잊을 수 없는 순간을 만들어주려 한다.

일본인에게 2013년은 특히 축하할 만한 해다. 후지산이 유네스코 세계문화유산에 등재됐고, 일본 음식이 무형문화유산에 등록되었다. 무형문화유산이라 해서 일본 음식이 형태가 없고 보이지 않는 것이라는 말이 아니라 일상생활에서 언제든 볼 수 있고 얻을 수 있다는 뜻이다. 유네스코 세계문화유산 홈페이지에 들어가 보면, 일본 음식을 무형문화유산으로 선정한 두 가지 이유가 적혀 있다.

'신선하고 다양한 식재료를 사용하며 식재료 본래의 맛과 향을

존중한다. 그리고 자연의 아름다움과 사계의 변화를 표현해낸다.'

이것은 또 가이세키 요리의 중요한 특징이기도 하다.

가이세키 요리는 식당에서 먹을 수 있을 뿐 아니라 오래된 료칸, 교토의 화과자가게 등에서 구체적으로 볼 수 있는 계절감과 지역 정취의 음식 문화를 내포한 일본 정서를 담고 있다.

일본 정서

'일본 정서'는 '일본의 숙박수호협회'가 지키려는 신념이다. 숙박수호협회는 료칸과 음식 문화를 함께 제공하는 이들이 늘어나는 손님을 제대로 맞이하고, 여행객에게 심신의 휴식을 제공하며 사라져가는 음식 문화 전통을 지켜나가기 위해 만든 단체다. 협회는 하드웨어적으로는 료칸 객실과 료칸 내 건축을 일본 전통 건축 구성에 맞게 지킨다. 소프트웨어적으로는 경영자가 일본 정서에 동감하고 이해해서 음식이나 접대의 질을 높여 여행객이 여행 외에도 전통 문화를 먹고, 자고, 체험할 수 있게 한다.
일본숙박수호협회 : http://www.nihonnoyado.jp

가이세키 요리의 기원

역사의 발전에서 보면, 일본 상류층의 요리는 네 종류로 나눌 수 있다.

관가귀족에서 먹던 다이쿄大饗 요리, 사무라이 계급이 먹던 혼젠本膳 요리, 절에서 먹던 쇼진 요리, 다도회에서 제공했던 가이세키 요리가 있다.

다이쿄 요리와 혼젠 요리는 모두 의식의 기능을 담고 있다. 무로마치 시대부터 각기 다른 유파가 형성되었고 계급과 관직에 따라 먹을 수 있는 요리 가짓수가 달랐다. 가장 높은 직급의 손님은 스물한 개 종류의 음식을 맛볼 수 있었고, 직급이 낮을수록 점차 요리 가짓수가 줄어들었다. 이런 연회에서는 식사를 하면서 공연도 함께 보았다.

쇼진 요리와 가이세키 요리는 불교에서 기원을 찾을 수 있다. 수행자가 절에서 먹던 소박한 차와 담백한 음식이 섬세한 요리로 발전한 것이다. 그중 앞 장에서 다룬 쇼진 요리는 두부, 절인 채소, 버섯 등을 된장이나 간장으로 조미해서 맛이 깔끔하고 소박하지만 재료 자체의 깊은 맛을 느낄 수 있다.

이제 가이세키 요리에 대해 이야기해보자.

가이세키와 일본 과자

'가이세키'란 단어는 원래 요리나 차와는 전혀 관계가 없었다. '가이懷.회'는 '마음에 품다'라는 뜻이다. 가이세키는 승려들이 배고픔과 추위를 이기기 위해 따뜻한 돌을 옷 속에 품고 있던 일본 선종 수행의 한 방법이었다. 나중에 가이세키를 하는 동안 달콤한 먹을거리와 화과자를 함께 먹었는데 이 역시 수행의 의미가 있었

다. 때문에 가이세키 요리를 이야기하기 전에 먼저 화과자를 살펴
보자.

가이세키와 화과자의 관계를 알고 싶고, 더불어 계절감을 담은
화과자를 보고 싶다면 교토 부근에 있는 '도라야虎屋'가 제격이다.
이 화과자가게의 역사는 무로마치 시대 후기에 세워져 800년이
넘는다. 고요제이後陽成 일왕 시대1571~1617년 때 황실용 과자로
선정되었다. 1대 주인 구로카와 다나카黑川丹仲부터 현재 주인인
구로카와 미쓰토모黑川光朝까지 벌써 17대에 이르고 있다. 교토
는 막부 시대에 일왕의 거처로 막부 말기의 변혁과 서양화 과정
을 겪은 후 일왕은 도쿄로 옮겨갔다. 하지만 도라야는 시대의 변
화 속에서 사라지지 않고 오히려 교토에서 도쿄로, 도쿄에서 파리
로 확장했고, 황실에서 평민으로까지 넓혀가면서 일본 화과자 전
통을 지켜가는 가장 아름다운 대표가 되었다.

도라야가 시대의 변화 속에서 지속 발전할 수 있었던 핵심은 전
통적인 가이세키와 화과자 문화를 현대에 맞게 변화시키고 끊임
없이 창조한 새로운 디자인과 브랜드 이미지에 있다. 그들의 창조
는 혁신보다는 일본식 디저트가 현대 일본인에게 갖는 의미에 주
목했고, 브랜드의 핵심가치를 찾아 그 가치의 근원에 변화를 더한
것이다.

구로카와 사장은 하나의 장소, 하나의 공간 또는 하나의 분위
기를 손님에게 주려고 한다. 손님이 도라야의 제품에서, 가게에

上. 도라야
下. 도라야의 화과자 가노소라 夏の空

서 일본의 사계절 풍취와 자연의 정취를 느낄 수 있길 바란다. 도라야가 만든 과자와 녹차와 정원은 계절의 변화에 호응해, 일본의 아름다움을 제대로 체현하고 있다.

저명한 건축가이자 도쿄 대학교 건축과 교수인 나이토 히로시內藤廣가 도라야 건축을 맡아 진행했다. 그는 단순히 고객들이 물건을 사고 차를 마시고 과자를 맛보는 공간만을 설계한 것이 아니라 그들의 신앙인 이나리 신사稲荷神社까지 건축 전체 구조에 넣고 고민했다. 이곳은 도라야의 본사, 창고, 제과장이다. 이조도리一條通 옆의 판매점을 따라 골목으로 들어가면 차를 마실 수 있는 다과실, 이나리 신사, 전정前庭, 중정中庭의 수정水庭, 내정內庭과 과자를 만드는 제과장, 창고와 수령이 백년이 넘는 나무 몇 그루가 마치 미로처럼 이어져 있다. 이는 교토만의 특징이다. 거미줄처럼 복잡하고 조밀하게 얽히고 연결되어 있는 골목길은 나무와 꽃이 어우러져 언제나 감탄을 자아낸다.

도라야의 전통과 현대

칠석 즈음 아내와 함께 교토로 여행을 떠났다. 우선 교토 북쪽 산자락에 있는 기후네貴船 신사를 방문한 뒤, 녹음이 짙푸른 길을 따라 걸었다. 교토의 여름은 뜨겁지만 그 길에서는 청량감이 느껴졌다. 오후 무렵 도라야에 들어섰다. 일본 전통 가옥의 몸체와 지붕을 그대로 보존하고 있는 건물의 외관과 달리 안은 원목과 스테인리스로 높고 넓은 현대적인 공간이었다. 가장 특별한 점은 실내에 기둥이 하나도 없다는 것이다. 천정天井. 채광을 위한 천장 구멍에는 요시노吉野, 나라 근처에 있는 도시산 삼나무로 장식되어 있는데, 15센티미터마다 틈이 있어 그 사이로 단순한 곡선면이 드러났다. 그 틈으로 자연광이 천정을 통해 부드럽게 들어오고 있었다. 삼나무 천장과 기와 사이는 특별한 철제 대들보가 위로는 기와 부분을, 아래로는 삼나무를 받들고 있어 전체적으로 전통적이면서도 현대적 첨단 기술이 조화를 이루고 있었다.

처마 아래로는 강철과 유리로 3미터에 달하는 긴 공간을 만들어서 벚꽃이 피는 봄이든 단풍이 물든 가을이든 바깥에서 운치 있게 화과자를 먹고 차를 마실 수 있다. 안에는 또 작은 일본식 정원을 꾸며놓았고, 책을 읽을 수 있는 공간도 만들어두었다. 이곳에는 화과자, 다도, 건축, 가이세키 요리, 일본 전통 문화에 대한 책들이 마련되어 있어 손님들이 화과자를 맛보면서 지적인 면에서 일본 문화를 이해할 수 있다.

가이세키 요리의 탄생

가이세키 요리는 처음에는 화과자와 함께 제공되었다. 16세기 유명한 다도가 센 리큐도 다도회를 열 때 공복에 차를 마시다 위를 상하게 할까 싶어 음식을 함께 준비했다. 음식은 간단히 미소 시루와 반찬 세 가지 정도였다. 일본 전국 시대의 명문 무사 집안들은 센 리큐의 다도를 존중했지만 오다 노부나가나 도요토미 히데요시 같은 전국 시대 장군들은 화려하고 값비싼 것을 좋아해 요리에서도 사치를 부리기 시작했다. 전국 시대와 도쿠가와 막부 시대 장군들은 신하들의 영지를 방문하면 신하들은 장군을 접대하기 위해 현지의 가장 좋은 식재료로 음식을 만들었다. 이렇게 하여 가이세키 요리가 출현했고 음식 재료뿐만 아니라 담는 식기에도 상당한 정성을 기울였다.

에도 시대 사회가 점차 상업화되면서, 당시 돈 있는 사람들은 과거 귀족들이 먹던 요리를 먹을 수 있게 되었다. 그리고 가이세키 요리는 그 다양성과 특수성 때문에 고급 요리의 대명사가 되었다. 에도, 오사카, 교토, 가나자와 등 도시에서도 각각 다른 가이세키 문화가 탄생했다.

에도를 말하자면, 재력이 갑작스럽게 늘어난 상인과 다이묘들이 호화롭고 사치스런 음식 문화를 발전시켰다. 막부가 사치 금지령을 내렸지만 당시의 그런 분위기를 막는 데는 역부족이었다. 에도 지역의 가이세키 요리는 해산물 위주로, 여기에 치바千葉, 노다野田와 조시銚子에서 생산되는 간장을 더했다. 오사카 역시 상인들이 몰려드는 대도시로, 세토나이카이의 풍부한 해산물과 나라와 이즈미사노의 채소, 기타마에부네의 다시마 등 풍부한 식재료로 오사카만의 특색 있는 가이세키 요리를 보여준다. 그리고 가나자와는 산과 바다가 교차하는 곳으로 바다와 산의 풍부한 식재료는 이곳의 가이세키 요리를 특별하게 만들었다.

일본 일왕의 수도 교토의 '공가 문화'는 우아한 음식 전통을 대표하고, 여기에 다양한 다도 양식의 부흥 분위기까지 더해져 교토의 가이세키 요리는 우아하면서도 소박한 멋이 일품이다. 그리고 이런 교토 정신을 잘 보여주는 곳이 바로 교京요리 전문점 '기쿠노이菊乃井'일 것이다.

공가公家 문화

'공가'는 조정의 귀족, 상급 관리와 일왕의 측근 시종 등을 가리킨다. 공가 문화는 사무라이 계급이 발전시킨 '무사 문화'에 비해 한층 더 우아하고 섬세하다.

100년 전통의 노포, 기쿠노이

기쿠노이는 기온祇園 근처 히가시야마에 있는 창업한 지 100년이 넘는 오래된 가게다. 이곳의 가이세키 요리는 센 리큐의 철학을 기반으로 하고, 불교의 의미를 담고 있다.

'술로 시작하고, 차로 끝맺는다.'에 따라 음식을 올리고, 그릇의 품격이나 공간의 설계 등에서 기쿠노이는 모두 센 리큐의 다도 품격을 따른다.

나는 1월 겨울에 교토 여행을 간 적이 있다. 어떤 의식에 참가한다는 마음으로 전통의 교토 가이세키 요리의 현대적 해석을 만났다.

기쿠노이는 현재 3대 무라타 요시히로村田吉弘가 경영하고 있다. 그는 교토 가이세키 요리의 대표이자 세계적으로 일본 가이세키 요리를 대표하는 인물이다. 미슐랭 가이드는 기쿠노이 교토 본점에 별 세 개를, 교토 분점에 별 두 개를, 도쿄 분점에 별 두 개를 주었다. 때문에 무라타 요시히로는 '7성 셰프'라 불린다.

나와 아내는 1월 어느 점심에 기쿠노이의 가이세키 요리를 만났다.

먼저 차가우면서 약간 매운맛이 감도는 청주가 나왔다. 가이세키 요리에서 음식이 나오기 전 식전주로 '술로 시작한다.'는 예를 따른 것이다. 그다음은 핫순八寸 - 사키즈케先付 - 무코오즈케向付

- 후타모노蓋物 - 야키모노燒物 - 시이자카나强肴 - 쌀밥과 미소시루로 이어진다. 점심이라 저녁 식사보다는 간단했다.

첫 번째 핫순은 일종의 전채로 현지의 어류와 채소를 사용한다. 그중에서 스시는 교토 전통의 하코즈시箱壽司로 그날은 소금에 절인 고등어와 어란을 사용해 바다 향기로 입맛을 돋우어주었다. 한쪽에는 느끼함을 없애줄 채소와 매실이 놓여 있었는데, 모두 한입 크기로 작지만 그 속에는 주방장의 기술과 생각이 담겨 있었다. 특히 노시우메익힌 매실을 으깨서 설탕과 전분을 섞어 굳힌 과자는 현지 매실 농장에서 공급한 것으로 매화의 꽃잎 모양을 본 떠 만들었다. 머위대는 어린 머위대를 잘 손질해 미소와 삶은 달걀노른자를 올렸고, 두유에 적신 채소와 겨자를 혼합해 만든 음식도 놓여 있었다. 요리사는 채소에 따라 다른 소스를 더해 채소가 가진 맛과 향을 한층 더 풍부하게 끌어올렸다.

핫순에 이어서 나온 사키즈케는 추운 겨울에 손님들이 따뜻함을 느끼도록 요리사의 정성이 배어 있었다. 기존의 일본 요리에서 강조하는 '차가움'과는 다르다. 1월의 사키즈케는 붉은색과 흰색으로 즐거운 느낌을 더한 세키한赤飯, 팥을 넣어 지은 밥으로, 일본인이 새해를 보낼 때 자주 먹는 음식이다. 요리사는 세키한에 특별히 청주와 소금을 넣고 지은 다음 와사비와 채소의 어린 순으로 장식했다.

사키즈케에 이어지는 것은 무코오즈케이다. 무코오즈케는 보통 사시미를 올리는데 기쿠노이에서 준비한 것은 방어와 도미였다. 방어는 두껍게 잘라 기름기가 많은 방어의 부드러운 맛을 충분히 느낄 수 있었고, 도미는 얇게 잘라 탱클탱클한 탄력 있는 식감을 즐길 수 있었다.

이어지는 후타모노는 윤이 나는 검은 외관에 안쪽은 붉은색과 하얀색의 꽃무늬에 금박으로 장식된 그릇으로 음식과 서로 어우러져 한층 화려해 보였다. 그릇에 담긴 음식은 백합뿌리 만쥬였다. 속은 소고기와 메추리, 콩으로 만들고, 인삼을 넣은 육수에 담가 맛과 건강함이 느껴졌다.

야키모노는 어란을 발라 구운 가자미가 나왔다. 가자미는 비목어比目魚, 넙치, 광어, 도다리, 가자미의 통칭로 심해에 사는 어종이라 잡기가 쉽지 않아 일본 고급 요리에서나 맛볼 수 있는 어종이다. 기쿠노이에서는 이 가자미를 두껍게 잘라 어란과 함께 구웠는데 그 맛이 절묘해 또 한 번 정점을 맛보았다.

시이자카나는 술안주라는 뜻도 있지만 가이세키 요리에서는 예정된 메뉴 외에 필요에 따라 중도에 한 가지 추가하는 일품 요리를 뜻하기도 한다. 전체 코스에서 뭔가 점입가경으로 나아가는 듯한 느낌을 받는다. 기쿠노이의 시이자카나는 따뜻하고 부담이 적은 '교토 채소전골'이 나왔다. 쇼고인 무, 도미, 긴토키金時의 인삼, 파와 두부를 함께 끓인 것으로, 들어가는 식재료가 담백하고 깔끔하지만 모두 제각기 다른 맛을 지녀 달콤한 국물과 어우러진 채

上. 백합뿌리 만쥬
下. 도미와 방어

소의 진수를 느낄 수 있었다.

마지막으로 쌀밥이 나왔다. 가이세키 요리에서 밥 역시 대단히 정성을 기울이는 지점이다. 오늘 오른 밥은 쌀밥에 새우, 표고버섯, 달걀, 김, 무, 인삼과 유자를 함께 넣고 지은 것으로 모든 재료 간의 향을 끌어올려 단순한 밥이 아니라 색, 향, 맛 세 가지를 고루 갖춘 풍성한 음식이었다.

미소시루가 오르면서 이 요리의 전체 의식은 이제 막바지에 다다랐다. 이어지는 디저트 역시 평범하지 않았다. 아몬드 푸딩의 부드러우면서도 탄력 있는 식감과 달콤한 맛 사이로 아몬드 향이 은은히 퍼졌다. 하얀색 아몬드 푸딩에 붉은 딸기잼과 초록 키위잼을 마치 태극 문양처럼 장식해 보는 것만으로도 부드러워지고 화합되는 기분이었다.

우리에게 음식을 주던 나이 지긋한 오카미女將, 일본 전통 료칸의 안주인가 마지막으로 녹차를 가지고 왔다. 음식을 내오고 가져가는 과정에서 놀랄 만큼 민첩한 손놀림을 보여주던 그녀가 조심스럽게 차를 가져와 다완을 몇 번 돌리더니 공손하게 내 앞에 내려놓았다. 나는 예술품 같은 그 다완을 들고 향을 맡았다. 그리고 '술로 시작하고, 차로 끝을 맺는' 이 아름다운 맛의 경험이 기억 깊은 곳에 오래 남기를 바랐다. 나는 가이세키 요리의 정취에 흠뻑 빠졌고, 마음속으로 이 계절감 충만한 아름다운 맛을 다시 한 번 꼭 찾겠다고 생각했다.

그렇게 해서 사계절 가이세키 요리 여행이 시작되었다.

미슐랭 가이드 선정 스타 레스토랑이 대부분 일본 대도시에 있고, 그중에 숙박하며 두 끼를 먹을 수 있는 료칸은 없었다. 하지만 료칸 역시 현대 일본 음식 문화를 체험할 수 있는 중요한 공간이라는 점을 고려했다. 그래서 사계절 가이세키 요리를 먹는 것 외에 일본 정서를 담고 있어야 한다는 기준으로 료칸을 선택했다.

봄

장소 : 미야지마宮島

료칸 : 세키테이石亭, 벚꽃을 감상하며 즐긴 가이세키 요리

신혼여행 때 세토나이카이의 이쓰쿠시마嚴島 신사 맞은편에 있는 료칸 '세키테이'를 찾았다.

세토나이카이상에 있는 이쓰쿠시마 신사는 바다가 바라보이는 섬에 있다. 이곳은 '무나카타 산죠진宗像三女神'이라 불리는 오랜 전설 속 세 명의 바다여신인 '이치키시마히메노미코토市杵島姫命, 다키리히메노미코토田心姫命, 다기쓰히메노미코토湍津姫命'를 모시고 있다. 이쓰쿠시마 신사에 가려면 반드시 히로시마 미야지마에서 페리를 타고 가야 하는데, 가까이 다가가다 보면 주홍색의 미

야지마 오오도리이大島居가 바다 위에 떠 있는 것이 보인다.

오오도리이는 높이 16미터, 상부에 걸쳐 있는 나무는 24미터, 천연 녹나무로 만들어져 무게는 60톤에 달한다. 1875년에 세워진 이 오오도리이는 수령 5,600년이 넘는 나무를 사용했고 수십 년에서 100년에 한 번씩 새로 바꾼다. 오오도리이를 짓는 데 콘크리트는 전혀 사용하지 않는다. 평소에는 바닷물에 잠겨 있지만 썰물 때에는 육지와 이어져 있다.

세키테이는 미야지마의 높은 곳에 있다. 산의 굴곡을 따라 설계한 1,000여 평의 정원에는 열두 곳의 숙박공간이 있고 모든 공간마다 독립적인 건물이 있지만 회랑을 따라 연결되어 있다. 모든 건물은 정원이나 세토나이카이를 바라보며 서 있다. 집의 거실 역할을 하는 공간에는 맥주부터 위스키, 청주까지 손님들이 저녁 식사를 하기 전에 가볍게 마실 수 있도록 준비되어 있었다. 청주도 부드러운 맛부터 매운맛이 감도는 것, 과일향이 나는 것, 벚꽃 색깔이 나는 분홍빛 청주까지 다양했다.

오카미가 오늘 저녁 식사를 차리기 시작했을 때 우리의 시선을 끈 것은 상에 놓인 커다란 접시였다. 접시 위에는 일본어로 '이것은 사랑의 잔입니다. 맘껏 드세요.'라고 적혀 있고 술잔이 놓여 있었다. 료칸에서 신혼여행 온 우리 부부를 위해 준비한 작은 선물이었다. 같은 접시에 놓인 술을 함께 마시고 인생의 길을 함께 걸어가라는 축복이었다.

계절감은 가이세키 요리의 핵심이다. 벚꽃이 피는 봄철이라 이 계절의 가이세키 요리는 벚꽃을 감상하며 현지에서 나는 제철 해산물, 채소, 육류를 맛보도록 구성되어 있었다. 접시에도 계절감을 담아 음식도 벚꽃 모양으로 담았고, 벚꽃 잎으로 장식을 하고, 그릇의 색깔도 벚꽃이 연상되는 색감으로 맞추어 먹는 즐거움과 보는 즐거움을 함께 맛볼 수 있었다.

식재료에서는 봄철 원기를 복돋는 데 신경 써 계절의 자연스러운 흐름에 순응하게 했다. 그 밖에 요리사는 서양식 조리법을 가미해 나가사키 카스텔라와 캐비어도 전채로 나왔다. 요리가 올라오는 시간은 아주 정확했고, 먹을 때 온도까지 신경 써서 한 끼의 식사가 마치 잘 짜인 한 편의 공연 같았다. 저녁 식사가 끝나고 이제 세키테이의 조용한 밤을 누리려는데 오카미가 문을 두드리더니 우리에게 줄 결혼 선물이 있다고 알려주었다. 가족탕에서 시원한 샴페인을 마시며 둘만 있을 수 있게 준비해둔 것이다. 우리에게 평생 잊을 수 없는 밤을 선물해주었다.

上. 미야지마 오오도리이
下. 현지의 제철 해산물, 채소, 육류를 사용하는 가이세키 요리

여름

장소 : 니가타

료칸 : 류곤龍言, 산해진미를 맛보다

    고원 지역의 나가노에서 일본해 인근의 니가타에 도착했다. 이곳은 일본에서 유명한 쌀의 고장으로, 혼슈 중부의 서북쪽에 위치해 있다. 겨울철에 내린 충분한 적설량이 여름이면 녹아 하천의 수량을 풍부하게 만들고, 차가운 기운은 토양 속에 있는 해충과 세균을 없애주어서 그 유명한 쌀 고시히카리를 탄생시킨다. 고시히카리 쌀로 지은 밥은 윤기가 흐르고 부드러우면서도 딱 적당히 찰진 식감을 자랑한다. 니가타는 일교차가 심해서 다른 따뜻한 지역보다는 벼의 성장 속도가 느리지만 쌀알은 훨씬 알차게 영근다. 니가타에서도 우오누마魚沼, 와후네岩船, 사도佐渡 지역의 쌀이 가장 유명한데, 1년에 한 번밖에 수확할 수 없어서 더욱 귀하게 여겨진다.

    일본의 소설가 가와바타 야스나리의 소설 《설국雪國》은 니가타를 묘사하는 장면으로 첫 문장을 시작한다.

    "국경의 긴 터널을 빠져나오자, 눈의 고장이었다. 밤의 밑바닥이 하얘졌다. 신호소에 기차가 멈춰 섰다."

니가타의 밤은 눈 때문에 온통 하얗게 변한다고 한다. 하지만 우리는 한여름 8월에 니가타에 있는 료칸 류곤을 찾아갔다. 이번 여행은 아버지를 보낸 슬픔을 달래기 위해 어머니와 아내가 함께 했다. 우리는 이번 여행을 통해서 서로의 아픔을 위로하고 보듬어 주며, 아버지 없이도 열심히 살아갈 수 있는 용기를 얻길 바랐다.

자동차가 류곤 정문 앞에 도착했을 때, 료칸 사람들이 벌써 나와서 우리를 맞을 준비를 했다. 차에서 내리자 료칸 내 가장 높은 곳에 있는 안내 건물로 이끌더니, 전통 일본식 이로리일본의 전통 난 방 장치 앞에 앉게 한 뒤 숙박 수속을 밟도록 해주었다. 오카미가 조심스럽게 우리가 묵을 방으로 안내했다. 방은 모두 목조에 다다 미 형태로, 두 사람 혹은 한 가족이 묵을 수 있었다. 방의 구조나 장식은 독특하면서도 우아했다. 방의 창문을 열면 연꽃이 활짝 핀 연못과 정원이 그림처럼 펼쳐졌다.

류곤은 료칸 영업을 한 지 40여 년 되었지만 건물의 역사는 훨 씬 더 오래되었다. 에도 시대 당시 니가타 지역 부농의 저택이었 는데 다시 지은 것이다. 이곳의 건물들은 원래 니가타 현 시골에 흩어져 있던 고가古家들인데 류곤이 보존을 위해서 이곳으로 그대 로 실어와 원래 모습대로 다시 지었다. 고가들은 대부분 100년이

* 민음사, 유숙자 번역본 인용

류곤 료칸의 전경

넘었고 200년이 다 된 것도 있다. 각각의 방들은 회랑으로 이어져 있어 독립적이면서도 연결되어 있다. 32개의 방 주변은 4,000평의 정원에 둘러싸여 있고, 정원 한구석에는 작은 언덕도 있다. 그래서 간혹 살쾡이나 사슴 같은 야생동물도 나타난다고 한다. 정원 가운데는 연꽃을 심은 연못이 있어 주변의 푸른 이끼와 흐르는 물이 어우러져 시적인 느낌을 준다.

식사 전에 먼저 온천으로 몸과 마음의 피로를 씻어내자 시장기가 슬슬 올라왔다. 회랑을 거쳐 식사하는 곳에 다다르자 벌써 손님들을 위한 준비가 한창이었다. 바깥 화로에서는 대나무 꼬치에 꿴 메기들을 숯불 옆에 동그랗게 세워서 굽고 있었다. 이것이 세워서 굽는 니가타 방식의 생선구이다. 잘 구워진 메기의 향긋함이 콧속을 파고들자 우리는 오늘 '일생에 단 한 번' 있을 식사가 더욱 기대됐다.

– 젠사이前菜, 전채 : 소라, 절인 산초로 만든 보우스시棒壽司, 막대기 모양의 스시, 이시가와 지역의 토란과 도미, 사이쿄 미소맛이 순한 미소에 절인 꽈리고추와 달걀, 사이쿄 미소를 발라 찐 오이.

– 완모노椀物, 일본풍 수프 : 미나미 우오누마南魚沼 지역의 모둠 채소찜.

– 쓰쿠리造里, 사시미 : 일본해에서 잡은 생선 사시미와 눈 속에서 숙성시킨 간장.

– 야키모노燒物, 구이 : 숯불에 세워 구운 메기.

上. 세워서 굽는 메기
下. 류곤의 가이세키 요리

— 시자카나強肴, 술안주 요리 : 핫카이산八海山 A5급 와규.

— 니모노煮物, 조림 : 대구로 만든 만두.

— 히야시바치冷鉢, 차가운 음식 : 두부 요리.

— 쇼쿠지食事 : 미나미 우오누마 지역의 쌀로 만든 밥.

— 고노모노香物, 절임채소 : 배, 가지와 오이 절임.

— 도메완留椀, 국 : 구운 가지를 곁들인 미소시루.

— 디저트 : 직접 만든 요거트 무스와 수박.

　류곤 부근의 미나미 우오누마 지역의 쌀은 니가타 지역의 특산품이다. 핫카이산에서 기르는 와규는 일본 최고급 와규 중 하나로 손꼽히고, 일본해가 가까이 있어 해산물도 아주 신선하다. 일본어로 '海の幸, 山の幸산해진미'는 산과 바다에서 얻는 풍부한 산물을 뜻하는데, 그 속에는 자연에 대한 감사의 의미도 담겨 있다. 나는 이번 여행에서 이 말의 두 가지 의미를 모두 느낄 수 있었다.

　저녁 식사를 마치고 나자 료칸에서 작은 이벤트가 있었다. 일본에서 음력 7월은 타이완처럼 귀월鬼月*은 아니지만 음력 7월 15일 망혼일亡魂日이라 부르는 백중은 쉰다. 밤에 계곡에 등을 흘려보내면서 악운을 보내고 행운이 오길 기원하며 또 물속의 외로운

---

* 중국, 타이완에서는 음력 7월을 귀월, 귀신의 달이라 한다. 귀신이 사는 곳에 문이 한 달 동안 열려 귀신들이 돌아다니기 때문에 자신의 이름이 쓰인 옷을 입고 다니거나 휘파람을 불거나 하면 안 된다. 이때 귀신을 달래기 위해 여러 가지 제사를 지내는 풍습이 있다.

영혼을 위로한다. 료칸에서 방마다 하얀 등을 주더니 거기에 각자의 소원을 쓰라고 했다. 그때가 아버지 돌아가신 지 한 달 조금 넘은 때라 나는 등에 아버지의 극락왕생과 남아 있는 가족들의 평안을 기원하는 글을 썼다.

등을 들고 정원 근처 계곡에 모이자 한 사부가 별빛 가득한 밤에 경을 암송하기 시작했다. 평온한 목소리가 드넓은 정원에 울려 퍼지고 사람들은 하나둘 계곡물에 등을 떠나보냈다. 등불에 비친 물이 반짝이고 등은 하나둘 하나둘 줄지어 긴 선을 이루며 조용히 흘러갔다. 어두운 밤의 그 불빛은 우리를 어딘가로 이끄는 것 같았다.

가을

장소 : 이즈伊豆

료칸 : 아라이新井, 금눈돔金目鯛, 킨메타이을 맛보다

나와 아내는 시즈오카 시미즈항에서 배를 타고 이즈 중부에 있는 슈젠지修善寺 온천과 아라이 료칸을 찾았다. 바다 위에서 후지산을 볼 수 있는데, 후지산의 아름다움은 단순히 풍광에 있는 것이 아니라 주변의 산들 속에서도 쉽게 눈에 띄는 신성함에 있다.

유네스코는 후지산을 '신앙의 대상'이며 '예술의 원천'이기 때문에 세계문화유산에 등재한다고 밝혔다.

이즈의 토이土肥항에 도착한 뒤, 다시 버스를 갈아타고 슈젠지로 향했다. 슈젠지 온천은 도를 얻기 위해 당나라에 갔던 헤이안 시대 승려인 고보우弘法대사 구카이空海와 관계가 있다고 한다. 그는 9세기 초기에 이곳을 지나다가 병든 어머니를 극진히 모시는 효자의 마음에 감동해 들고 있던 지팡이를 커다란 돌 위에 내리꽂았다. 그러자 그 자리에서 온천수가 흘러나왔다고 한다. 그 온천이 바로 슈젠지에서 가장 유명한 바위틈에서 온천수가 나오는 돗코노유獨鈷湯 온천이다.

1923년 9월 1일 관동대지진이 일어나 도쿄 지역에서만 사망자 수가 9만 명, 실종자 수가 1만 명이 넘었다. 당시 도쿄 대학교 영문학과에 다니던 한 대학생이 있었다. 그는 세를 들어 살던 집이 지진으로 심하게 부서졌지만 다행히 무너지지는 않았다. 갑자기 닥친 재난으로 걱정과 두려움에 떨었지만 무엇보다 그는 씻지 못하는 문제를 걱정했다. 이틀 후 그와 친구들은 다바타田端로 가서 일본의 대표적 소설가 아쿠타카와 류노스케芥川龍之介를 찾아갔다. 그의 집은 다행히 크게 부서지지는 않았다. 그날 만나서 이즈, 하코네, 유가와라 같은 온천 지역에 관해 이야기를 나누었다. 이 젊은이는 폐허 같은 도쿄를 떠나 이즈로 가는 기차에 몸을 실었고, 그곳 온천에서 오랫동안 머물렀다. 나중에 그때의 경험을

바탕으로 《이즈의 무희伊豆の踊り子》라는 작품을 썼다. 이 젊은이가 바로 후에 《설국》으로 노벨문학상을 탄 가와바타 야스나리다.

온천과 작가. 이는 일본 문학에서 상당히 중요한 주제 중 하나다. 자연의 온천수는 마치 샘솟는 영감 같고, 따끈한 물에 몸을 담그고 있으면 머릿속에서 수많은 생각들이 샘솟기 때문은 아닐까.

우리가 머물기로 한 아라이 료칸은 메이지 5년1872년에 개업해 150여 년에 달하는 긴 역사를 지닌 곳이다. 가와바타 야스나리와 아쿠타카와 류노스케도 이곳에 머문 적이 있다고 한다. 이 료칸은 목재로 지어졌는데 강을 따라 지어진 건물도 있고, 정원에 둘러싸인 건물도 있다. 정원에 있는 큰 나무들 중에는 수령이 1,000년이 넘어 어딘가 신령스런 느낌마저 드는 고목도 있다. 나무 아래에는 푸른 이끼가 가득하고, 그 위로 붉은 단풍잎이 떨어져 반짝이고, 연못에는 잉어가 헤엄치는 모습에서 말로 표현할 수 없는 깊은 정취가 느껴진다.

이곳의 가이세키 요리는 이즈 해안에서 잡히는 금눈돔이 백미다. 금눈돔은 도미의 일종이지만 흑돔이나 참돔처럼 수심이 얕은 바다에서 살지 않는다. 금눈돔은 수심 400~600미터의 심해에서 살며 늦가을부터 겨울까지 잡히는 어종이다. 이 금눈돔의 가장 큰 특징은 눈에 있다. 금빛의 눈이 붉은 몸과 어우러져 특별한 느낌이다.

무게가 1킬로그램에 달하는 금눈돔은 뱃살이 가장 맛있는데 그

부분을 얇게 포를 떠서 끓는 탕에 살짝 담갔다 먹으니 그 육질의 깊은 단맛을 그대로 느낄 수 있었다. 머리부터 꼬리까지 온통 빨간색의 금눈돔은 정말 색깔만큼이나 맛이 특별했다. 금눈돔 외에 이즈 현지에서 기른 채소, 와사비, 두부도 지역의 특색을 갖고 있으면서도 정말 맛있었다.

나는 이곳에서 자연과 인문적 풍경이 조화를 이룬 가이세키 요리의 진수를 맛보았다. 붉은 단풍을 보며 온천에 몸을 담그고, 현지의 음식을 맛보며, 가와바타 야스나리와 아쿠타카와 류노스케의 작품을 읽고 그들이 머물던 목조 건물에서 시각, 촉각, 미각, 후각부터 지적인 충만함까지 제대로 누렸다.

겨울

장소 : 쇼도시마

료칸 : 마리眞里, 간장을 중심으로 한 가이세키 요리

사람들이 일본 료칸을 좋아하는 이유는 목조 건물이 주는 운치 외에도 서비스와 특색 있는 음식에 있다. 료칸의 음식은 대부분 현지에서 나는 식재료를 바탕으로 한다. 지역마다 기후, 토양, 수질이 다르기 때문에 그곳에서 나는 채소나 가축, 양식하는 해산물은 같은 품종이라도 맛이 다를 수밖에 없다. 그래서 료칸이 있는 '그 땅'이 가장 특색 있고 추천할 만한 가치가 있는 것이다.

쇼도시마의 일본 전통 간장과 음식 문화에 관심을 가졌을 때 쇼도시마를 찾았고, '맛의 료칸'이라 불리는 마리에서 머물렀다. 방마다 붙여진 이름부터 료칸의 섬세한 마음과 정성을 엿볼 수 있었다. 본관에 있는 다섯 개의 방은 각각 で데, も모, て테, な나, す스, 두 개의 별관 이름은 각각 ひし히시, おお이다. 본관 다섯 개의 방과 이어서 읽어보면 ひしおでもてなす히시오데모테나스, 번역하면 '간장으로 대접합니다.'라는 뜻이다. 그렇다면 마리가 자신 있게 말하는 간장은 과연 무엇일까?

이곳에서 사용하는 간장은 그 부근에 있는 마루킨간장이다. 삼나무로 만든 통에 노란콩, 밀, 소금물을 넣고 자연발효 방식으로 만드는데 간장이 완성되기까지 최소 2년의 시간이 걸린다. 마루킨간장 공장에서 가장 특별한 맛을 내는 간장은 '모로미타레諸味たれ, 거르지 않은 간장'다. 이것이 바로 마리의 식탁에 올라 맛을 더한다. 오늘 저녁 식사의 주제는 맛을 더해주는 것에 대해서다. 때문에 이 저녁 식사는 '간장 가이세키'라고 불러야 할 것이다. 가이세키 요리에 각각 다른 식으로 만든 간장을 더해 맛을 낸다.

- 초酢 : 세토나이카이에서 잡은 문어와 버섯, 대파의 흰 부분을 함께 곁들인다.

– 채菜 : 참깨 두부와 달콤하게 데친 새우.

– 도島 : 쇼도시마에서 나는 밀로 만든 소면은 상당히 특별하다. 우동면과 비슷한 굵기에 탄력이 아주 좋아 식감이 훌륭하고 독특한 맛과 향이 있다.

– 선鮮 : 세토나이카이에서 잡은 제철 생선 사시미와 자체 농장에서 기른 채소로 신선하고 산뜻하다.

– 자煮 : 아스파라거스를 으깨어 끓인 따뜻한 탕. 한 입 먹으니 추운 겨울에 따뜻한 기운이 감돈다.

– 소燒 : 세토나이카이 특산 생선에 순무와 미소를 넣고 섞어 부드럽게 만든 소스를 발라 구운 음식. 씹을수록 안에 숨어 있던 생선의 신선함이 입안에 감돈다.

– 유油 : 쑥갓을 곁들여 튀긴 토란.

– 즙汁 : 갈치를 끓여 만든 신선한 어탕.

– 반飯 : 현지 히토야마肥土山에서 나는 쌀밥에 모로미 미소와 간장에 절인 채소.

– 감甘 : 쇼도시마에서 나는 감귤을 갈아 만든 셔벗.

만드는 법이 제각각 다른 간장들이 내 앞에 놓였다. '모로미타레諸味たれ', '니단주쿠세이二段熟成', '나마아게生あげ', '아와구치 나마아게淡口生揚' 등 네 가지 간장은 숙성 시간에 따라 각각 다른 맛을 내기 때문에 손님들은 각각의 간장을 맛보며 시간이 만들어

낸 차이를 느낄 수 있다.

모로미타레는 시코쿠 가가와 현에서 나는 사탕과 생강을 배합해서 간장의 원료인 밀과 콩이 들어 있는 삼나무통에 넣고 발효시키는데 젓지도 거르지도 않아 맛이 가장 진한 간장, 즉 거르지 않은 간장이다. 니단주쿠세이는 반드시 양조 과정을 두 번 거쳐야 하기 때문에 4년이라는 긴 시간이 걸린다. 맛이 깊고 부드럽다. 아게는 반드시 재료를 잘 섞어야 하고 걸러내야 한다. 맛은 비교적 달콤하다. 아와구치 나마아게는 맛이 타이완의 간장과 비슷하다. 나는 모로미타레가 가장 좋았는데 마리에서는 이것으로 미소를 만들어 밥과 곁들여 내는데 식욕을 한층 돋운다.

저녁 식사를 마치고 우리는 료칸 주변을 산책했다. 이곳은 그렇게 넓지는 않지만 구석구석 즐길거리가 숨어 있다. 이로리 불빛은 꺼지지 않고, 위에 걸린 주전자에는 물이 보글보글 끓으며 사람들을 기다리고 있다. 이곳은 원래 료칸 주인의 집이었고, 이곳에서 식사를 했다고 한다. 료칸의 규모는 훨씬 더 커졌지만 방의 인테리어나 느낌은 예전 모습을 간직하고 있어 이곳을 찾는 손님들은 마치 고향집에 와서 어머니의 체온 같은 포근함을 느낀다. 이로리에 앉아서도 섬에서 난 다양한 과일로 만든 술을 마실 수 있고, 함께 온 사람들과 둘러앉아 담소를 나누고 차를 마실 수도 있다.

다음 날 아침 일어나보니 쇼도시마 농장에서 기른 소에서 짠 신선한 우유가 방 앞에 놓여 있었다. 손님들은 이 신선한 우유로 위

上. 각각 맛이 다른 네 종류의 간장
下. 이로리

를 달래고 풍성한 아침을 즐기면 된다.

마리의 주인 마와타리 야스유키眞渡康之는 이곳 쇼도시마에서 태어나 고등학교를 졸업하고 타지로 나가 요리사로 일했다. 시코쿠 가가와 현에서 한동안 일을 하다 포부와 열정을 갖고 고향으로 돌아와 고향집을 료칸으로 개조했다. 이제 마리는 이곳에서 상당히 인기 있고 유명한 료칸이 되었다. 그의 고향이었기에 어쩌면 '이 땅'의 특색을 잘 살리면서 시대의 요구에 부합하는 문화를 창조해낸 것은 아닐까….

가볼 만한 곳

도라야 교토 본점 虎屋 京都一条店

주소 : 京都府京都市上京区烏丸通一条角広橋殿町415

전화번호 : 075-441-3111

홈페이지 : www.toraya-group.co.jp

기쿠노이 菊乃井

주소 : 京都市東山区下河原通八坂鳥居前下る下河原町459

전화번호 : 075-561-0015

홈페이지 : www.kikunoi.jp

세키테이 石亭

주소 : 広島県廿日市市宮浜温泉3-5-27

전화번호 :   0829-55-0601

홈페이지: www.sekitei.to

류곤 龍言

주소 : 新潟県南魚沼市坂戸山際79

전화번호 : 025-772-3470

홈페이지 : www.ryugon.co.jp

아라이 新井

주소 : 静岡県伊豆市修善寺970

전화번호 0558-72-2007

홈페이지 : www.arairyokan.net

마리 眞里

주소 : 香川県小豆島醤油蔵通り

전화번호 0879-82-0086

홈페이지 : www.mari.co.jp

맺음말

　지금까지 일본을 몇 차례나 다녀왔는지 정확히 기억도 나지 않는다. 계획을 세워 여행을 다녀오기도 했고 회의 참석이나 비행기를 갈아탈 때처럼 잠깐이라도 짬을 내서 머문 적도 있다. 그렇게 잠시나마 일본에 머물려고 한 것도 어쩌면 맛있는 음식을 먹기 위해서였는지도 모른다. 멋진 인테리어를 자랑하는 고급 레스토랑뿐 아니라 산간이나 해변, 도시나 시골을 가리지 않고 나는 언제나 맛있는 음식을 찾아 먹었다. 니가타에서 푸르고 기름진 논밭을 바라보면서 자연이 키워내는 생명에 감탄하기도 하고, 쇼도시마의 간장공장에서 사람 키보다 훨씬 큰 삼나무통에서 발효 중인 간장을 보면서 그들이 들이는 시간과 땀의 정성에 놀라기도 했다.

　나는 일본 각지의 여러 식당을 찾는 데도 많은 시간을 들였다. 교토에 가면 기쿠노이나 기쿠스이菊水에서 가이세키 요리를 먹었고, 도쿄에 가면 노다이와에서 우나쥬를, 미카와에서 덴푸라를 먹으며 에도 시대의 맛을 음미했다. 또 자연으로 돌아가길 바라며 교토 묘신지나 시즈오카 가스이사이에서 쇼진 요리를 만났다. 요리를 먹을 때마다 나는 훨씬 더 많이 일본을 이해할 수 있을 것 같았다. 천천히 오감의 체험과 오랜 시간의 독서를 통해서 얻은 한 가지 단서를 가지고 일본 요리의 정수에 대해 이야기하고 싶었다.

나는 우리가 자주 사용하는 단어 '음식'을 가지고 인간을 구분하거나, 문명의 기준으로 삼는다. 2,000년 전 중국인은 신체와 음식의 차이를 가지고 이족과 타인을 설명했다.《예기禮記》「왕제편王制篇」을 보면 이런 내용이 나온다.

"동쪽의 오랑캐를 이夷라고 하는데 머리를 풀어헤치고 문신을 했으며 화식火食: 음식을 익혀 먹음을 하지 않는다. 남쪽의 오랑캐를 만蠻이라고 하는데 이마에 먹물을 넣고 화식하지 않는다. 서쪽의 오랑캐를 융戎이라고 하는데 머리를 풀어헤치고 가죽옷을 입으며 오곡五穀을 먹지 않는다. 북쪽의 오랑캐를 적狄이라고 하는데 우모로 만든 옷을 입고 혈거생활穴居生活: 움막살이을 하며 오곡을 먹지 않는다."

중국인은 스스로를 곡식을 먹고, 음식을 익혀 먹는 화식을 한다고 말한다. 오랑캐처럼 생식을 하지 않는다고 하는데 과연 중국인은 계속 음식을 익혀 먹었을까? 그렇지 않다. 고대 중국에서도 생식을 하는 습관이 있었는데, 그것을 '회생膾生: 생선이나 고기를 날로 먹는 것'이라 했고, 귀족이나 먹을 수 있는 고급 음식이었다. 생으로 먹었으면서도 생으로 먹는 이들을 야만인이라 한 것을 보면 고대 중국인들의 이족과 타인에 대한 편견을 볼 수 있다. 프랑스 사람들이 영국 음식은 맛이 없다고 하는 것처럼 그 실제 뜻은 종족을 구분하기 위해서일 때가 많다. 때문에 국가가 성립되고 나서는 민족이나 국가를 구분하는 방식으로 민족요리가 탄생했다. 물론 이 말이 이태리 요리, 일본 요리, 중국 요리, 태국 요리가 모두 새롭게 창조된 것이라는 말은 아니다. 이전에도 그 땅에서 살던 사람들이 먹던 음식이지만 단지 국가라는 관을 쓰지 않았던 것뿐이다.

가이세키 요리는 원래 사찰에서 승려들이 먹던 음식이었지만 지금은 일본의 고급 요리를 상징한다. 우리가 잘 알고 있는 스시, 덴푸라나 스키야키는 모두 일본의 전통 음식이 아니다. 스키야키는 일본 메이지 유신 때 나타나 전쟁 후에야 유행하기 시작했다. 덴푸라는 에도 시대에 나타났고, 스시 조리 방식은 동남아에서 기원을 찾을 수 있고, 에도 시대 후기에서야 현재의 모습이 되었다. 만약 이런 음식들이 모두 일본 전통 음식이 아니라고 한다면 데판야키, 라멘, 돈가스는 더더욱 일본 전통 요리라 할 수 없을 것이다. 소바만 먹던 일본 사람들은 중국에서 전해진 라멘을 상당히 무시했다. 20세기 초 일본 군국주의가 최고조에 달한 시기까지 설움 받았던 라멘은 제2차 세계대전이 끝나고 나서야 새로운 음식으로 유행을 선도했다.

일본은 1,000년 넘게 가축을 먹지 않은 역사가 있다. 단백질은 어류나 야생 조류를 통해서 섭취했고, 가죽을 다루던 천민계층인 에타礒多는 가축의 고기를 먹었다. 메이지 유신 시대가 되어서야 일본인은 소, 돼지 같은 자주 볼 수 있는 가축을 먹기 시작했다. 일왕의 육식재승선언肉食再升宣言은 일본인의 육식에 대한 생각을 바꾸는 데 큰 영향을 끼쳤다. 하지만 오랫동안 이어져온 문화가 쉽사리 바뀔 리 없다. 실제 일본인이 소와 돼지를 대량으로 먹게 된 것은 제2차 세계대전 이후다. 지금 돈가스를 만드는 데 사용하는 흑돼지나 데판야키에 사용하는 와규는 모두 일본 전통 음식에는 존재하지 않던 것이다.

우리는 '전통'을 문화 속에서 변하지 않고 늘 그대로 있는 부분이라고 생각한다. 중국인, 프랑스인 또는 영국인 중에서 누에고치에서 실을 뽑듯 순수한 중국식, 프랑스식, 영국식 문화를 찾을 수 있다고 생각하지만 사실은 그건 대단히 어려운 일이다. 역사적 각도에서나 사회적 변화의 방식으로 '전통'을 관찰해보면 변하지 않는 것이 없다는 것을 알 수 있다. 일본 요리를 알고 싶다면 음식과 사회와 외래문화 등 다양한 요소들을 고려해야 하고 이것이 바로 이 책이 견지하는 시각이다.

일본 음식, 한자로는 '和食'이라고 쓴다. 이 명사는 메이지 유신 시대부터 유래되었다. 일본인에게 서양의 음식 문화가 들어오기 전에는 '和', '洋'의 구분이 없었다. 수많은 서양식 식습관과 문화가 일본에 들어오자 구별하기 위해서 '和食'이란 개념을 만들었다. 화식, 일본 음식의 개념은 그 기원은 늦었지만 당연히 일본에는 그보다 훨씬 더 오래된 음식 전통이 있었다. 다만 그 음식 전통은 끊임없이 변화해왔다.

야요이 시대 때 중국에서 전해진 벼농사는 일본에 영향을 주었다. 쌀과 그와 관련된 발효기술은 술을 만들고, 채소를 절이고, 미소 등 음식 문화에 영향을 미쳤고, 일본 음식의 핵심이 되었다. 일본 음식에서 사용하는 도구나 조미료, 식사법, 의식 등도 중국의 영향을 깊게 받았다. 중국과 다른 점이 있다면 일본인은 하천의 생선을 먹었고, 에도 시대에 이르러서야 바다 생선에 주목했다는 점이다.

불교에서 시작된 쇼진 요리와 가이세키 요리는 모두 중국에서 유학하던 수행자가 일본으로 들여온 것이다. 일본인은 중국의 채식을 단순히 배우는 데 그치지 않고, 조금은 기름진 중국의 채식 요리를 소박하고 우아하고 담백한 맛을 살리고 선의 의미를 담은 요리로 창조했다.

다도에서 비롯된 가이세키 요리 역시 선사에서 시작되었다. 16세기 다도대사 센 리큐가 공복 시에 마시는 차가 위를 상하게 할까봐 몇 가지 음식을 내온 데서 탄생했다. 그러다 에도 시대 사회가 상업화되고 평민계층에도 돈 있는 사람들이 생기고, 돈만 있으면 과거 귀족들만 먹던 음식들을 누구든지 먹을 수 있는 사회풍

조가 퍼지면서 가이세키 요리는 더욱 다양해지고 특별해졌다. 그리고 그 점이 바로 가이세키 요리가 현대 일본 고급 요리의 대명사가 된 이유이다.

일본 음식이 중국에 깊은 영향을 받았지만 섬나라라는 지리적 요인으로 사방팔방에서 다양한 문화가 전해졌다.

음식사학자 하라다 노부오原田信男는 "일본 요리를 폐쇄적이고 배타적이라 여겨서는 안 되고, 전통 자체는 끊임없이 변화하고 발전한다. 풍토, 역사와 문화 교류가 쌓여서 전통이 되므로 동태적 방식으로 일본 음식을 이해해야 한다."고 말했다. 또 그는 책 속에서 이렇게 말했다.

"일본 음식, 이 문화는 아주 오랜 역사를 거쳤다. 쌀을 핵심으로 하고, 거기에 각국에서 유입된 물질과 요리 기술을 도입하여 점차 일본 요리의 체계를 만들어간 것이다. 일본 음식은 결국 일본 역사의 산물이고 단순히 생활 문화가 아니라 예술과 종교, 사상까지 담고 있어 일본 문화의 본질을 설명하는 훌륭한 예가 된다."

이 책에서 다룬 일본 요리에는 서양에서 전해진 것도 있다. 일본인의 독특한 미각 문화를 통해 그 음식을 바꾸었고 마침내는 일본 음식의 한 부분으로 만들었다. 캐나다 기자 마크 사츠커는 이런 말을 했다.

"일본인은 발명가라고 부를 수는 없지만 그들은 타인의 발명품을 연구하고 가공해 완벽한 경계로 끌어올리는 능력이 있다. 외래에서 들어온 문물을 잘 다루어 구별할 수 없는 수준으로 만든다. 포르투갈의 생선튀김은 그들의 조각과 연마를 통해 일본 덴푸라가 되었다."

수많은 음식 앞에서 일본 음식은 중국화되지도 않았고, 서양화되지도 않았다. 그들은 새로운 요소를 섞고 바꾸고 창조해서 결국에는 자신의 독특한 문화로 만드는 길을 선택했다.

255

일본,
엄청나게
가깝지만
의외로 낯선

초판 1쇄 인쇄 2016년 12월 22일
초판 1쇄 발행 2016년 12월 29일

지은이 후쵄안
옮긴이 박지민
펴낸이 이범상
펴낸곳 (주)비전비엔피 · 애플북스

기획 편집 이경원 박월 김승희 강찬양 배윤주
디자인 김혜림 이미숙 김희연
마케팅 한상철 이재필 이준건
전자책 김성화 김희정
관리 이성호 이다정

주소 우) 04034 서울시 마포구 잔다리로7길 12 (서교동)
전화 02)338-2411 | **팩스** 02)338-2413
홈페이지 www.visionbp.co.kr
이메일 visioncorea@naver.com
원고투고 editor@visionbp.co.kr

등록번호 제313-2007-000012호

ISBN 979-11-86639-43-6 03300

· 값은 뒤표지에 있습니다.
· 잘못된 책은 구입하신 서점에서 바꿔드립니다.

「이 도서의 국립중앙도서관 출판시도서목록(CIP)은 서지정보유통지원시스템 홈페이지(http://seoji.nl.go.kr)와 국가자료공동목록시스템(http://www.nl.go.kr/kolisnet)에서 이용하실 수 있습니다.(CIP제어번호: CIP2016028976)」